하루 한 장!

교과 연산

E 2

초5 약분과 통분 /
분수의 덧셈과 뺄셈

변화를 정확히 이해해야 합니다.

수학의 기본이면서 이제는 필수가 된 연산 학습, 그런데 왜 우리 아이들은 많은 학습지를 풀고도 학교에 가면 연산 문제를 해결하지 못할까요?

지금 우리 아이들이 학습하는 교과서는 과거와는 많이 다릅니다. 단순 계산력을 확인하는 문제 대신 다양한 상황을 제시하고 상황에 맞게 문제를 해결하는 과정을 평가합니다. 그래서 단순히 계산하여 답을 내는 것보다 문장을 이해하고 상황을 판단하여 스스로 식을 세우고 문제를 해결하는 복합적인 사고 과정이 필요합니다.

그림을 보고 상황을 판단하는 능력, 그림을 보고 상황을 말로 표현하는 능력, 문장을 이해하는 능력 등 상황 판단 능력을 길러야 하는 이유입니다.

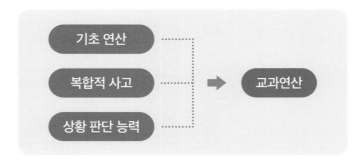

연산 원리를 학습함에 있어서도 대표적인 하나의 풀이 방법을 공식처럼 외우기만 해서는 지금의 연산 문제를 해결하기 어렵습니다. 연산 학습과 함께 다양한 방법으로 수를 분해하고 결합하는 과정, 즉 수 자체에 대한 학습도 병행되어야 합니다.

교과연산은 연산 학습과 함께 수 자체를 온전히 학습할 수 있도록 단계마다 '수특강'을 구성하고 있습니다. 계산은 문제를 해결하는 하나의 과정으로서의 의미가 큽니다.

학교에서 배우게 될 내용과 직접적으로 관련이 있는 교과연산으로 가장 먼저 시작하기를 추천드립니다.
요즘 연산은 교과 연산입니다.

"계산은 그 자체가 목적이 아닙니다. 문제를 해결하는 하나의 과정입니다."

하루 **한** 장, 75일에 완성하는 **교과연산**

한 단계는 총 4권으로 수를 학습하는 0권과 연산을 학습하는 1권, 2권, 3권으로 구성되어 있습니다.

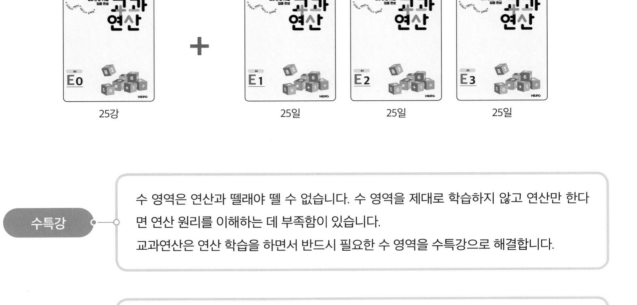

수특강
25강

집중 교과연산
25일   25일   25일

수특강 ●— 수 영역은 연산과 뗄래야 뗄 수 없습니다. 수 영역을 제대로 학습하지 않고 연산만 한다면 연산 원리를 이해하는 데 부족함이 있습니다.
교과연산은 연산 학습을 하면서 반드시 필요한 수 영역을 수특강으로 해결합니다.

교과연산 ●— 기초 연산도 합니다. 연산 원리를 이해하고 계산 연습도 합니다. 그에 더해서 교과연산은 다양한 상황 문제를 제시하여 상황에 맞는 식을 세우고 문제를 해결하는 상황 판단 능력을 길러줍니다.

"연산을 이해하기 위해서는 수를 먼저 이해해야 합니다."

원리는 기본, 복합적 사고 문제까지 다루는 **교과연산**

원리

수와 연산의 원리를
이해하고 연습합니다.

복합적 사고

연산 원리를 이용하여
다양한 소재의 복합적
문제를 해결합니다.

상황 판단 문제

문장 이해력을 기르고
상황에 맞는 식을 세워
문제를 해결합니다.

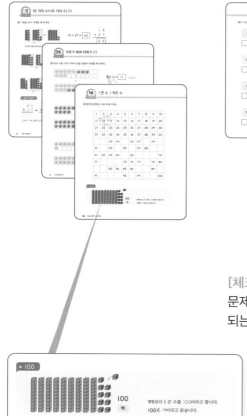

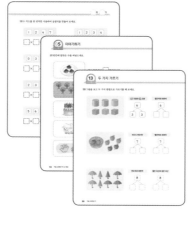

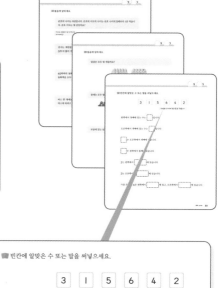

[체크 박스]
문제를 해결하는 데 도움이
되는 방향을 제시합니다.

■ 빈칸에 알맞은 수 또는 말을 써넣으세요.

| 3 | 1 | 5 | 6 | 4 | 2 |

순서수와 수 카드에 적힌 수를 잘 구분합니다.

100
백

99보다 1 큰 수를 100이라고 합니다.
100은 백이라고 읽습니다.

[개념 포인트]
꼭 필요한 기본 개념을
설명합니다.

"교과연산은 꼬이고 꼬인 어려운 연산이 아닙니다.
일상 생활 속에서 상황을 판단하는 능력을 길러주는 연산입니다."

하루 **한** 장, **75일** 집중 완성 교과연산 **묻고 답하기**

Q1 왜 교과연산인가요?

지금의 교과서는 과거의 교과서와는 많이 다릅니다. 하지만 아쉽게도 기존의 연산학습지는 과거의 연산 학습 방법을 그대로 답습하고 변화를 제대로 반영하지 못하고 있습니다. 교과연산은 교과서의 변화를 정확히 이해하고 체계적으로 학습을 할 수 있도록 안내합니다.

Q2 다른 연산 교재와 어떻게 다른가요?

교과연산은 변화된 교과서의 핵심 내용인 상황 판단 능력과 복합적 사고력을 길러주는 최신 연산 프로그램입니다. 또한 연산 학습의 바탕이 되는 '수'를 수특강으로 다루고 있어 수학의 기본이 되는 연산학습을 체계적으로 학습할 수 있습니다.

Q3 학교 진도와는 맞나요?

네, 교과연산은 학교 수업 진도와 최신 개정된 교과 단원에 맞추어 개발하였습니다.

Q4 단계 선택은 어떻게 해야 할까요?

권장 연령의 학습을 추천합니다.
다만, 처음 교과 연산을 시작하는 학생이라면 한 단계 낮추어 시작하는 것도 좋습니다.

Q5 '수특강'을 먼저 해야 하나요?

'수특강'을 가장 먼저 학습하는 것을 권장합니다. P단계를 예로 들어보면 P0(수특강)을 먼저 학습한 후 차례대로 P1~P3 학습을 진행합니다. '수특강'은 각 단계의 연산 원리와 개념을 정확하게 이해하고 상황 문제를 해결하는 데 디딤돌이 되어줄 것입니다.

이 책의 차례

1주차 공약수와 약분

📘 분모와 분자를 1을 제외한 공약수로 나누어 약분해 보세요.

$\dfrac{5}{15}$ $\dfrac{5}{15} = \dfrac{5 \div 5}{15 \div 5} = \dfrac{\boxed{}}{\boxed{}}$

$\dfrac{7}{14}$ $\dfrac{7}{14} = \dfrac{7 \div \boxed{}}{14 \div \boxed{}} = \dfrac{\boxed{}}{\boxed{}}$

7과 14의 공약수는 1, 7입니다.

$\dfrac{8}{12}$ $\dfrac{8}{12} = \dfrac{8 \div 2}{12 \div 2} = \dfrac{\boxed{}}{\boxed{}}$

$\dfrac{8}{12} = \dfrac{8 \div \boxed{}}{12 \div \boxed{}} = \dfrac{\boxed{}}{\boxed{}}$

$\dfrac{30}{36}$ $\dfrac{30}{36} = \dfrac{30 \div \boxed{}}{36 \div \boxed{}} = \dfrac{\boxed{}}{\boxed{}}$

$\dfrac{30}{36} = \dfrac{30 \div \boxed{}}{36 \div \boxed{}} = \dfrac{\boxed{}}{\boxed{}}$

$\dfrac{30}{36} = \dfrac{30 \div \boxed{}}{36 \div \boxed{}} = \dfrac{\boxed{}}{\boxed{}}$

★ 약분

분모와 분자를 1을 제외한 공약수로 나누어 간단한 분수로 만드는 것을 약분한다고 합니다.

16과 12의 공약수: 1, 2, 4

$\dfrac{12}{16} = \dfrac{12 \div 2}{16 \div 2} = \dfrac{6}{8}$ ➡ $\dfrac{\overset{6}{\cancel{12}}}{\underset{8}{\cancel{16}}} = \dfrac{6}{8}$

$\dfrac{12}{16} = \dfrac{12 \div 4}{16 \div 4} = \dfrac{3}{4}$ ➡ $\dfrac{\overset{3}{\cancel{12}}}{\underset{4}{\cancel{16}}} = \dfrac{3}{4}$

$\dfrac{12}{16}$ 를 약분한 분수는 $\dfrac{6}{8}$, $\dfrac{3}{4}$ 입니다.

빈 곳에 알맞은 수를 써넣으세요.

$\dfrac{10}{20}$	분모와 분자의 최대공약수	10
	분모와 분자의 공약수	1, 2, 5, 10
	$\dfrac{10}{20}$ 을 약분한 분수	

최대공약수의 약수는 공약수입니다.

$\dfrac{30}{75}$	분모와 분자의 최대공약수	
	분모와 분자의 공약수	
	$\dfrac{30}{75}$ 을 약분한 분수	

$\dfrac{24}{32}$	분모와 분자의 최대공약수	
	분모와 분자의 공약수	
	$\dfrac{24}{32}$ 를 약분한 분수	

$\dfrac{12}{36}$	분모와 분자의 최대공약수	
	분모와 분자의 공약수	
	$\dfrac{12}{36}$ 를 약분한 분수	

약분하기

🔖 약분한 분수를 모두 써 보세요.

$\dfrac{5}{35}$ ➡ ☐

$\dfrac{21}{28}$ ➡ ☐

$\dfrac{13}{39}$ ➡ ☐

$\dfrac{22}{33}$ ➡ ☐

$\dfrac{18}{27}$ ➡ ☐ , ☐

18과 27의 최대공약수: 9
9의 약수: 1, 3, 9

$\dfrac{20}{32}$ ➡ ☐ , ☐

$\dfrac{6}{12}$ ➡ ☐ , ☐ , ☐

$\dfrac{10}{40}$ ➡ ☐ , ☐ , ☐

$\dfrac{18}{72}$ ➡ ☐ , ☐ , ☐ , ☐ , ☐

$\dfrac{24}{60}$ ➡ ☐ , ☐ , ☐ , ☐ , ☐

📘 왼쪽 분수를 약분한 것을 모두 찾아 ○표 하세요.

| $\dfrac{16}{28}$ | $\dfrac{4}{10}$ | $\dfrac{3}{7}$ | $\dfrac{8}{14}$ | $\dfrac{14}{21}$ | $\dfrac{10}{14}$ | $\dfrac{4}{7}$ |

| $\dfrac{10}{50}$ | $\dfrac{5}{25}$ | $\dfrac{5}{10}$ | $\dfrac{10}{40}$ | $\dfrac{1}{5}$ | $\dfrac{2}{10}$ | $\dfrac{2}{5}$ |

| $\dfrac{30}{36}$ | $\dfrac{10}{15}$ | $\dfrac{5}{6}$ | $\dfrac{10}{12}$ | $\dfrac{6}{9}$ | $\dfrac{15}{18}$ | $\dfrac{60}{72}$ |

| $\dfrac{24}{32}$ | $\dfrac{6}{8}$ | $\dfrac{8}{12}$ | $\dfrac{6}{16}$ | $\dfrac{3}{4}$ | $\dfrac{4}{8}$ | $\dfrac{12}{16}$ |

| $\dfrac{22}{88}$ | $\dfrac{1}{8}$ | $\dfrac{1}{4}$ | $\dfrac{11}{44}$ | $\dfrac{2}{8}$ | $\dfrac{11}{22}$ | $\dfrac{2}{11}$ |

| $\dfrac{16}{48}$ | $\dfrac{4}{12}$ | $\dfrac{1}{4}$ | $\dfrac{2}{8}$ | $\dfrac{8}{12}$ | $\dfrac{1}{3}$ | $\dfrac{8}{24}$ |

28 기약분수

🟦 기약분수로 나타내려고 합니다. 빈칸에 알맞은 수를 써넣으세요.

$$\frac{14}{21} = \frac{14 \div 7}{21 \div 7} = \frac{\boxed{}}{\boxed{}}$$

$$\frac{8}{16} = \frac{8 \div \boxed{}}{16 \div \boxed{}} = \frac{\boxed{}}{\boxed{}}$$

$$\frac{5}{25} = \frac{5 \div \boxed{}}{25 \div \boxed{}} = \frac{\boxed{}}{\boxed{}}$$

$$\frac{2}{26} = \frac{2 \div \boxed{}}{26 \div \boxed{}} = \frac{\boxed{}}{\boxed{}}$$

$$\frac{35}{56} = \frac{35 \div \boxed{}}{56 \div \boxed{}} = \frac{\boxed{}}{\boxed{}}$$

$$\frac{16}{40} = \frac{16 \div \boxed{}}{40 \div \boxed{}} = \frac{\boxed{}}{\boxed{}}$$

$$\frac{24}{36} = \frac{24 \div \boxed{}}{36 \div \boxed{}} = \frac{\boxed{}}{\boxed{}}$$

$$\frac{19}{38} = \frac{19 \div \boxed{}}{38 \div \boxed{}} = \frac{\boxed{}}{\boxed{}}$$

⭐ **기약분수**

분모와 분자의 공약수가 1뿐인 분수를 기약분수라고 합니다.

$$\frac{12}{16} = \frac{12 \div 4}{16 \div 4} = \frac{3}{4} \quad \Rightarrow \quad \frac{\overset{6}{\cancel{12}}}{\underset{8}{\cancel{16}}} = \frac{\overset{3}{\cancel{6}}}{\underset{4}{\cancel{8}}} = \frac{3}{4}$$

분모와 분자를 최대공약수로 나누면 기약분수가 됩니다.

기약분수는 분모와 분자를 1을 제외한 다른 같은 자연수로 더 이상 나눌 수 없습니다.

기약분수로 나타내어 보세요.

$$\frac{\cancel{12}}{\cancel{36}} = \frac{1}{3}$$

$$\frac{3}{9} = \frac{\boxed{}}{\boxed{}}$$

$$\frac{2}{14} = \frac{\boxed{}}{\boxed{}}$$

$$\frac{6}{21} = \frac{\boxed{}}{\boxed{}}$$

$$\frac{15}{20} = \frac{\boxed{}}{\boxed{}}$$

$$\frac{16}{18} = \frac{\boxed{}}{\boxed{}}$$

$$\frac{12}{30} = \frac{\boxed{}}{\boxed{}}$$

$$\frac{9}{36} = \frac{\boxed{}}{\boxed{}}$$

$$\frac{20}{24} = \frac{\boxed{}}{\boxed{}}$$

$$\frac{30}{42} = \frac{\boxed{}}{\boxed{}}$$

$$\frac{24}{64} = \frac{\boxed{}}{\boxed{}}$$

$$\frac{48}{96} = \frac{\boxed{}}{\boxed{}}$$

$$\frac{55}{88} = \frac{\boxed{}}{\boxed{}}$$

$$\frac{36}{60} = \frac{\boxed{}}{\boxed{}}$$

$$\frac{75}{100} = \frac{\boxed{}}{\boxed{}}$$

기약분수 찾기

기약분수에 ◯표 하세요.

$\dfrac{4}{7}$ | $\dfrac{4}{6}$

$\dfrac{6}{9}$ | $\dfrac{7}{8}$

$\dfrac{4}{10}$ | $\dfrac{3}{10}$

$\dfrac{2}{13}$ | $\dfrac{4}{14}$

$\dfrac{8}{9}$ | $\dfrac{9}{12}$

$\dfrac{8}{16}$ | $\dfrac{7}{15}$

$\dfrac{10}{18}$ | $\dfrac{10}{19}$

$\dfrac{9}{15}$ | $\dfrac{11}{12}$

$\dfrac{12}{23}$ | $\dfrac{8}{22}$

$\dfrac{6}{25}$ | $\dfrac{27}{30}$

$\dfrac{13}{39}$ | $\dfrac{13}{15}$

$\dfrac{12}{35}$ | $\dfrac{14}{42}$

$\dfrac{21}{49}$ | $\dfrac{23}{40}$

$\dfrac{3}{38}$ | $\dfrac{19}{38}$

$\dfrac{25}{72}$ | $\dfrac{27}{81}$

📖 주어진 진분수가 기약분수라고 할 때, □ 안에 들어갈 수 있는 수를 모두 써 보세요.

$\dfrac{\square}{4}$ ( )

분모와 분자의 공약수가 1뿐이어야 합니다.

$\dfrac{\square}{5}$ ( )

분자가 1이면 항상 기약분수입니다.

$\dfrac{\square}{6}$ ( )

$\dfrac{\square}{10}$ ( )

$\dfrac{\square}{8}$ ( )

$\dfrac{\square}{12}$ ( )

$\dfrac{\square}{7}$ ( )

$\dfrac{\square}{9}$ ( )

$\dfrac{\square}{18}$ ( )

30일 조건에 맞는 분수

📘 수 카드 중 2장을 골라 만들 수 있는 진분수인 기약분수를 모두 만들어 보세요.

| 1 | 2 | 4 | 8 |

( )

분모가 2, 4, 8일 때 만들 수 있는 기약분수를 차례로 찾아봅니다.

| 3 | 4 | 8 | 9 |

( )

| 2 | 3 | 6 | 7 |

( )

| 3 | 5 | 6 | 10 |

( )

| 2 | 5 | 9 | 12 |

( )

| 5 | 7 | 15 | 18 |

( )

📘 물음에 답하세요.

사탕이 18개 있었는데 재현이가 사탕 9개를 먹었습니다. 재현이가 먹은 사탕은 전체 사탕의 몇 분의 몇인지 기약분수로 나타내어 보세요.

(   )

수아는 하루 24시간 중에서 8시간 동안 잠을 잡니다. 수아가 잠을 자는 시간은 하루 전체의 몇 분의 몇인지 기약분수로 나타내어 보세요.

(   )

현수네 반 학생들은 25명입니다. 이 중에서 15명이 안경을 쓰고 있습니다. 안경을 쓴 학생은 전체 학생의 몇 분의 몇인지 기약분수로 나타내어 보세요.

(   )

색종이가 90장 있습니다. 이 중에서 27장으로 종이학을 접었습니다. 종이학을 접는 데 사용한 색종이는 전체 색종이의 몇 분의 몇인지 기약분수로 나타내어 보세요.

(   )

설명하는 분수를 써 보세요.

$\dfrac{4}{16}$를 약분한 분수 중에서 분모가 8인 분수

(   )

$\dfrac{18}{30}$을 약분한 분수 중에서 분자가 3인 분수

(   )

분모가 24인 분수 중에서 약분하면 $\dfrac{3}{8}$이 되는 분수

(   )

분자가 15인 분수 중에서 약분하면 $\dfrac{3}{7}$이 되는 분수

(   )

분모와 분자의 합이 55인 분수 중에서 약분하면 $\dfrac{2}{9}$가 되는 분수

(   )

31 일 분모가 같은 분수

크기가 같은 분수를 분모가 작은 것부터 차례로 **6개**씩 쓰고, 빈칸에 알맞은 수를 써넣으세요.

$\frac{1}{2}$	$\frac{2}{4}$	$\frac{3}{6}$	$\frac{4}{8}$	$\frac{5}{10}$	$\frac{6}{12}$	$\frac{7}{14}$
$\frac{1}{3}$	$\frac{2}{6}$					

분자와 분모에 0이 아닌 같은 수를 곱하면 크기가 같은 분수가 됩니다.

분모가 같은 분수: $\left(\dfrac{1}{2}, \dfrac{1}{3}\right)$ ➡ $\left(\dfrac{3}{6}, \dfrac{2}{6}\right)$, $\left(\dfrac{\square}{12}, \dfrac{\square}{12}\right)$

두 분모의 최소공배수의 배수로 분모가 같은 분수를 만들 수 있습니다.

$\frac{1}{4}$					
$\frac{5}{6}$					

분모가 같은 분수: $\left(\dfrac{1}{4}, \dfrac{5}{6}\right)$ ➡ $\left(\dfrac{\square}{\square}, \dfrac{\square}{\square}\right)$, $\left(\dfrac{\square}{\square}, \dfrac{\square}{\square}\right)$

$\frac{3}{5}$					
$\frac{7}{10}$					

분모가 같은 분수: $\left(\dfrac{3}{5}, \dfrac{7}{10}\right)$ ➡ $\left(\dfrac{6}{10}, \dfrac{7}{10}\right)$, $\left(\dfrac{\square}{\square}, \dfrac{\square}{\square}\right)$, $\left(\dfrac{\square}{\square}, \dfrac{\square}{\square}\right)$

📖 분모가 같으면서 크기가 같은 분수가 되도록 빈칸에 알맞은 수를 써넣으세요.

$\left(\dfrac{1}{4}, \dfrac{5}{8}\right)$ ➡ $\left(\dfrac{2}{8}, \dfrac{5}{8}\right)$, $\left(\dfrac{4}{16}, \dfrac{\boxed{}}{16}\right)$, $\left(\dfrac{\boxed{}}{24}, \dfrac{\boxed{}}{24}\right)$

$\left(\dfrac{3}{5}, \dfrac{2}{15}\right)$ ➡ $\left(\dfrac{\boxed{}}{15}, \dfrac{2}{15}\right)$, $\left(\dfrac{18}{30}, \dfrac{\boxed{}}{30}\right)$, $\left(\dfrac{\boxed{}}{45}, \dfrac{\boxed{}}{45}\right)$

$\left(\dfrac{2}{3}, \dfrac{1}{4}\right)$ ➡ $\left(\dfrac{\boxed{}}{12}, \dfrac{3}{12}\right)$, $\left(\dfrac{16}{24}, \dfrac{\boxed{}}{24}\right)$, $\left(\dfrac{\boxed{}}{36}, \dfrac{\boxed{}}{36}\right)$

$\left(\dfrac{1}{2}, \dfrac{3}{5}\right)$ ➡ $\left(\dfrac{5}{10}, \dfrac{\boxed{}}{10}\right)$, $\left(\dfrac{\boxed{}}{20}, \dfrac{12}{20}\right)$, $\left(\dfrac{\boxed{}}{30}, \dfrac{\boxed{}}{30}\right)$

$\left(\dfrac{1}{6}, \dfrac{2}{9}\right)$ ➡ $\left(\dfrac{3}{18}, \dfrac{\boxed{}}{18}\right)$, $\left(\dfrac{\boxed{}}{36}, \dfrac{8}{36}\right)$, $\left(\dfrac{\boxed{}}{54}, \dfrac{\boxed{}}{54}\right)$

32일 분모의 곱으로 통분

📋 분모의 곱을 공통분모로 하여 통분하려고 합니다. 빈칸에 알맞은 수를 써넣으세요.

$\left(\dfrac{1}{3}, \dfrac{1}{6}\right)$ ➡ $\left(\dfrac{1\times6}{3\times6}, \dfrac{1\times3}{6\times3}\right)$ ➡ $\left(\dfrac{\boxed{}}{18}, \dfrac{\boxed{}}{18}\right)$

18은 두 분수의 공통분모입니다.

$\left(\dfrac{3}{4}, \dfrac{5}{9}\right)$ ➡ $\left(\dfrac{3\times\boxed{}}{4\times\boxed{}}, \dfrac{5\times\boxed{}}{9\times\boxed{}}\right)$ ➡ $\left(\dfrac{\boxed{}}{\boxed{}}, \dfrac{\boxed{}}{\boxed{}}\right)$

$\left(\dfrac{2}{5}, \dfrac{9}{10}\right)$ ➡ $\left(\dfrac{2\times\boxed{}}{5\times\boxed{}}, \dfrac{9\times\boxed{}}{10\times\boxed{}}\right)$ ➡ $\left(\dfrac{\boxed{}}{\boxed{}}, \dfrac{\boxed{}}{\boxed{}}\right)$

$\left(\dfrac{4}{7}, \dfrac{3}{8}\right)$ ➡ $\left(\dfrac{4\times\boxed{}}{7\times\boxed{}}, \dfrac{3\times\boxed{}}{8\times\boxed{}}\right)$ ➡ $\left(\dfrac{\boxed{}}{\boxed{}}, \dfrac{\boxed{}}{\boxed{}}\right)$

★ 통분 (1)

분수의 분모를 같게 만드는 것을 통분한다고 하고, 통분한 분모를 공통분모라고 합니다.

• 두 분모의 곱을 공통분모로 하여 통분하기

$\left(\dfrac{5}{6}, \dfrac{3}{8}\right)$ ➡ $\left(\dfrac{5\times8}{6\times8}, \dfrac{3\times6}{8\times6}\right)$ ➡ $\left(\dfrac{40}{48}, \dfrac{18}{48}\right)$ 48을 공통분모로 하여 통분했습니다.

📘 분모의 곱을 공통분모로 하여 통분해 보세요.

$\left(\dfrac{1}{4}, \dfrac{5}{6}\right)$ → $\left(\dfrac{\boxed{}}{24}, \dfrac{\boxed{}}{24}\right)$

$\left(\dfrac{1}{2}, \dfrac{3}{7}\right)$ → $\left(\dfrac{\boxed{}}{14}, \dfrac{\boxed{}}{14}\right)$

$\left(\dfrac{2}{3}, \dfrac{3}{8}\right)$ → $\left(\dfrac{\boxed{}}{\boxed{}}, \dfrac{\boxed{}}{\boxed{}}\right)$

$\left(\dfrac{1}{8}, \dfrac{2}{5}\right)$ → $\left(\dfrac{\boxed{}}{\boxed{}}, \dfrac{\boxed{}}{\boxed{}}\right)$

$\left(\dfrac{3}{4}, \dfrac{5}{12}\right)$ → $\left(\dfrac{\boxed{}}{\boxed{}}, \dfrac{\boxed{}}{\boxed{}}\right)$

$\left(\dfrac{1}{3}, \dfrac{6}{13}\right)$ → $\left(\dfrac{\boxed{}}{\boxed{}}, \dfrac{\boxed{}}{\boxed{}}\right)$

$\left(\dfrac{1}{6}, \dfrac{4}{9}\right)$ → $\left(\dfrac{\boxed{}}{\boxed{}}, \dfrac{\boxed{}}{\boxed{}}\right)$

$\left(\dfrac{2}{9}, \dfrac{7}{8}\right)$ → $\left(\dfrac{\boxed{}}{\boxed{}}, \dfrac{\boxed{}}{\boxed{}}\right)$

$\left(\dfrac{7}{10}, \dfrac{3}{7}\right)$ → $\left(\dfrac{\boxed{}}{\boxed{}}, \dfrac{\boxed{}}{\boxed{}}\right)$

$\left(\dfrac{3}{5}, \dfrac{4}{11}\right)$ → $\left(\dfrac{\boxed{}}{\boxed{}}, \dfrac{\boxed{}}{\boxed{}}\right)$

분모의 최소공배수로 통분

📑 분모의 최소공배수를 공통분모로 하여 통분하려고 합니다. 빈칸에 알맞은 수를 써넣으세요.

3과 6의 최소공배수: $\boxed{}$

$$\left(\frac{1}{3}, \frac{5}{6}\right) \Rightarrow \left(\frac{1\times 2}{3\times 2}, \frac{5}{6}\right) \Rightarrow \left(\frac{\boxed{}}{6}, \frac{\boxed{}}{6}\right)$$

6은 두 분수의 공통분모입니다.

6과 9의 최소공배수: $\boxed{}$

$$\left(\frac{5}{6}, \frac{4}{9}\right) \Rightarrow \left(\frac{5\times\boxed{}}{6\times\boxed{}}, \frac{4\times\boxed{}}{9\times\boxed{}}\right) \Rightarrow \left(\frac{\boxed{}}{\boxed{}}, \frac{\boxed{}}{\boxed{}}\right)$$

12와 16의 최소공배수: $\boxed{}$

$$\left(\frac{7}{12}, \frac{3}{16}\right) \Rightarrow \left(\frac{7\times\boxed{}}{12\times\boxed{}}, \frac{3\times\boxed{}}{16\times\boxed{}}\right) \Rightarrow \left(\frac{\boxed{}}{\boxed{}}, \frac{\boxed{}}{\boxed{}}\right)$$

★ 통분 (2)

• 두 분모의 최소공배수를 공통분모로 하여 통분하기

분모 6과 8의 최소공배수는 24이므로 24를 공통분모로 하여 통분합니다.

$$\left(\frac{5}{6}, \frac{3}{8}\right) \Rightarrow \left(\frac{5\times 4}{6\times 4}, \frac{3\times 3}{8\times 3}\right) \Rightarrow \left(\frac{20}{24}, \frac{9}{24}\right)$$

분모의 최소공배수를 공통분모로 하여 통분해 보세요.

$\left(\dfrac{1}{2}, \dfrac{3}{4}\right)$ ➡ $\left(\dfrac{\square}{4}, \dfrac{\square}{4}\right)$

$\left(\dfrac{1}{4}, \dfrac{1}{6}\right)$ ➡ $\left(\dfrac{\square}{12}, \dfrac{\square}{12}\right)$

$\left(\dfrac{2}{3}, \dfrac{1}{9}\right)$ ➡ $\left(\dfrac{\square}{\square}, \dfrac{\square}{\square}\right)$

$\left(\dfrac{3}{5}, \dfrac{3}{10}\right)$ ➡ $\left(\dfrac{\square}{\square}, \dfrac{\square}{\square}\right)$

$\left(\dfrac{5}{6}, \dfrac{7}{8}\right)$ ➡ $\left(\dfrac{\square}{\square}, \dfrac{\square}{\square}\right)$

$\left(\dfrac{5}{12}, \dfrac{3}{8}\right)$ ➡ $\left(\dfrac{\square}{\square}, \dfrac{\square}{\square}\right)$

$\left(\dfrac{3}{10}, \dfrac{2}{15}\right)$ ➡ $\left(\dfrac{\square}{\square}, \dfrac{\square}{\square}\right)$

$\left(\dfrac{2}{9}, \dfrac{5}{12}\right)$ ➡ $\left(\dfrac{\square}{\square}, \dfrac{\square}{\square}\right)$

$\left(\dfrac{8}{14}, \dfrac{4}{21}\right)$ ➡ $\left(\dfrac{\square}{\square}, \dfrac{\square}{\square}\right)$

$\left(\dfrac{11}{15}, \dfrac{7}{9}\right)$ ➡ $\left(\dfrac{\square}{\square}, \dfrac{\square}{\square}\right)$

공통분모 찾기

두 분수의 공통분모가 될 수 있는 수를 가장 작은 수부터 차례로 5개씩 써 보세요.

$\dfrac{2}{3}$ $\dfrac{7}{9}$

(,   ,   ,   ,   )

공통분모 중 가장 작은 수는 두 분모의 최소공배수입니다.

$\dfrac{1}{2}$ $\dfrac{4}{7}$

(,   ,   ,   ,   )

$\dfrac{5}{6}$ $\dfrac{1}{4}$

(,   ,   ,   ,   )

$\dfrac{3}{4}$ $\dfrac{1}{10}$

(,   ,   ,   ,   )

$\dfrac{5}{12}$ $\dfrac{3}{8}$

(,   ,   ,   ,   )

두 분수를 통분했습니다. 빈칸에 알맞은 수를 써넣으세요.

$\left(\dfrac{2}{5},\ \dfrac{1}{6}\right)$ → $\left(\dfrac{\square}{30},\ \dfrac{5}{\square}\right)$

30을 공통분모로 하여 통분합니다.

$\left(\dfrac{1}{4},\ \dfrac{3}{8}\right)$ → $\left(\dfrac{4}{\square},\ \dfrac{\square}{16}\right)$

$\left(\dfrac{5}{6},\ \dfrac{1}{8}\right)$ → $\left(\dfrac{\square}{48},\ \dfrac{\square}{\square}\right)$

$\left(\dfrac{4}{5},\ \dfrac{7}{15}\right)$ → $\left(\dfrac{\square}{30},\ \dfrac{\square}{\square}\right)$

$\left(\dfrac{3}{4},\ \dfrac{5}{6}\right)$ → $\left(\dfrac{\square}{\square},\ \dfrac{\square}{36}\right)$

$\left(\dfrac{5}{8},\ \dfrac{7}{12}\right)$ → $\left(\dfrac{\square}{\square},\ \dfrac{\square}{48}\right)$

$\left(\dfrac{1}{3},\ \dfrac{1}{6}\right)$ → $\left(\dfrac{6}{\square},\ \dfrac{\square}{\square}\right)$

$\left(\dfrac{3}{10},\ \dfrac{4}{15}\right)$ → $\left(\dfrac{18}{\square},\ \dfrac{\square}{\square}\right)$

$\left(\dfrac{3}{8},\ \dfrac{7}{10}\right)$ → $\left(\dfrac{\square}{\square},\ \dfrac{28}{\square}\right)$

$\left(\dfrac{2}{7},\ \dfrac{4}{21}\right)$ → $\left(\dfrac{\square}{\square},\ \dfrac{8}{\square}\right)$

분수의 크기 비교

🔶 두 분수를 통분하고, ○ 안에 >, =, <를 알맞게 써넣으세요.

$\left(\dfrac{1}{2}, \dfrac{3}{7}\right)$ ➡ $\left(\dfrac{\boxed{}}{14}, \dfrac{\boxed{}}{14}\right)$ $\dfrac{1}{2}$ ◯ $\dfrac{3}{7}$

분모가 같은 분수는 분자가 클수록 더 큰 수입니다.

$\left(\dfrac{2}{3}, \dfrac{3}{4}\right)$ ➡ $\left(\dfrac{\boxed{}}{\boxed{}}, \dfrac{\boxed{}}{\boxed{}}\right)$ $\dfrac{2}{3}$ ◯ $\dfrac{3}{4}$

$\left(\dfrac{9}{16}, \dfrac{7}{12}\right)$ ➡ $\left(\dfrac{\boxed{}}{\boxed{}}, \dfrac{\boxed{}}{\boxed{}}\right)$ $\dfrac{9}{16}$ ◯ $\dfrac{7}{12}$

$\dfrac{3}{5}$ ◯ $\dfrac{9}{15}$ $\dfrac{5}{6}$ ◯ $\dfrac{3}{4}$ $\dfrac{7}{8}$ ◯ $\dfrac{8}{9}$

$\dfrac{7}{12}$ ◯ $\dfrac{7}{9}$ $\dfrac{6}{21}$ ◯ $\dfrac{4}{14}$ $1\dfrac{7}{20}$ ◯ $1\dfrac{4}{15}$

분수의 크기를 비교하여 ◯ 안에 >, <를 써넣고, 큰 분수부터 차례로 써 보세요.

$\dfrac{1}{2}$ $\dfrac{3}{4}$ $\dfrac{5}{8}$

$\dfrac{1}{2}$ ◯ $\dfrac{3}{4}$ $\dfrac{3}{4}$ ◯ $\dfrac{5}{8}$ $\dfrac{1}{2}$ ◯ $\dfrac{5}{8}$

분자의 2배가 분모보다 크면 절반보다 큰 분수입니다.

(,   ,   )

$\dfrac{3}{4}$ $\dfrac{4}{5}$ $\dfrac{5}{6}$

$\dfrac{3}{4}$ ◯ $\dfrac{4}{5}$ $\dfrac{4}{5}$ ◯ $\dfrac{5}{6}$ $\dfrac{3}{4}$ ◯ $\dfrac{5}{6}$

분자가 분모보다 1 더 작은 분수는 분모가 클수록 더 큰 분수입니다.

(,   ,   )

$\dfrac{2}{5}$ $\dfrac{3}{8}$ $\dfrac{3}{10}$

$\dfrac{2}{5}$ ◯ $\dfrac{3}{8}$ $\dfrac{3}{8}$ ◯ $\dfrac{3}{10}$ $\dfrac{2}{5}$ ◯ $\dfrac{3}{10}$

(,   ,   )

$\dfrac{2}{3}$ $\dfrac{3}{7}$ $\dfrac{5}{9}$

$\dfrac{2}{3}$ ◯ $\dfrac{3}{7}$ $\dfrac{3}{7}$ ◯ $\dfrac{5}{9}$ $\dfrac{2}{3}$ ◯ $\dfrac{5}{9}$

(,   ,   )

수 카드 중 2장으로 진분수를 만들려고 합니다. 만들 수 있는 진분수 중 가장 큰 수를 만들어 보세요.

| 2 | 3 | 5 |

(   )

절반보다 큰 분수 중에서 찾아봅니다.

| 2 | 5 | 7 |

(   )

| 4 | 5 | 9 |

(   )

| 1 | 3 | 8 |

(   )

| 1 | 2 | 3 | 4 |

(   )

| 1 | 5 | 6 | 9 |

(   )

| 2 | 3 | 7 | 9 |

(   )

| 2 | 4 | 5 | 8 |

(   )

진분수 덧셈 (1)

아래와 같이 분모의 곱을 공통분모로 하여 통분한 후 계산해 보세요. (계산 결과를 약분할 수 있으면 기약분수로 나타냅니다.)

$$\frac{1}{2}+\frac{1}{3}=\frac{1\times3}{2\times3}+\frac{1\times2}{3\times2}=\frac{3}{6}+\frac{2}{6}=\frac{5}{6}$$

$$\frac{3}{4}+\frac{1}{6}=\frac{3\times\boxed{}}{4\times\boxed{}}+\frac{1\times\boxed{}}{6\times\boxed{}}=\frac{\boxed{}}{24}+\frac{\boxed{}}{24}=\frac{\overset{11}{\cancel{22}}}{\underset{12}{\cancel{24}}}=\frac{\boxed{}}{12}$$

계산 결과를 약분할 수 있으면 기약분수로 나타냅니다.

$$\frac{2}{9}+\frac{3}{5}=\frac{2\times\boxed{}}{9\times\boxed{}}+\frac{3\times\boxed{}}{5\times\boxed{}}=\frac{\boxed{}}{45}+\frac{\boxed{}}{45}=\frac{\boxed{}}{45}$$

$$\frac{2}{5}+\frac{1}{2}$$

$$\frac{1}{6}+\frac{3}{8}$$

아래와 같이 분모의 최소공배수를 공통분모로 하여 통분한 후 계산해 보세요.
(계산 결과를 약분할 수 있으면 기약분수로 나타냅니다.)

$$\frac{1}{4} + \frac{1}{6} = \frac{1 \times 3}{4 \times 3} + \frac{1 \times 2}{6 \times 2} = \frac{3}{12} + \frac{2}{12} = \frac{5}{12}$$

$$\frac{4}{7} + \frac{3}{14} = \frac{4 \times \square}{7 \times \square} + \frac{3}{14} = \frac{\square}{14} + \frac{3}{14} = \frac{\square}{14}$$

$$\frac{1}{8} + \frac{5}{12} = \frac{1 \times \square}{8 \times \square} + \frac{5 \times \square}{12 \times \square} = \frac{\square}{24} + \frac{\square}{24} = \frac{\square}{24}$$

$$\frac{3}{5} + \frac{4}{15}$$

$$\frac{4}{9} + \frac{1}{6}$$

진분수 덧셈 (2)

🔖 아래와 같이 분모의 곱을 공통분모로 하여 통분한 후 계산해 보세요. (계산 결과가 가분수이면 대분수로 나타내고, 약분할 수 있으면 기약분수로 나타냅니다.)

$$\frac{1}{2}+\frac{2}{3}=\frac{1\times3}{2\times3}+\frac{2\times2}{3\times2}=\frac{3}{6}+\frac{4}{6}=\frac{7}{6}=1\frac{1}{6}$$

계산 결과가 가분수이면 대분수로 나타냅니다.

$$\frac{2}{3}+\frac{3}{5}=\frac{2\times\square}{3\times\square}+\frac{3\times\square}{5\times\square}=\frac{\square}{15}+\frac{\square}{15}=\frac{\square}{15}=\square\frac{\square}{15}$$

$$\frac{3}{4}+\frac{5}{8}=\frac{3\times\square}{4\times\square}+\frac{5\times\square}{8\times\square}=\frac{\square}{32}+\frac{\square}{32}=\frac{\square}{32}$$

$$=\square\frac{\square}{32}=\square\frac{\square}{8}$$

$$\frac{4}{5}+\frac{3}{10}$$

■ 아래와 같이 분모의 최소공배수를 공통분모로 하여 통분한 후 계산해 보세요.

（계산 결과가 가분수이면 대분수로 나타내고, 약분할 수 있으면 기약분수로 나타냅니다.）

$$\frac{3}{4}+\frac{5}{6}=\frac{3\times3}{4\times3}+\frac{5\times2}{6\times2}=\frac{9}{12}+\frac{10}{12}=\frac{19}{12}=1\frac{7}{12}$$

$$\frac{1}{2}+\frac{5}{6}=\frac{1\times\boxed{}}{2\times\boxed{}}+\frac{5}{6}=\frac{\boxed{}}{6}+\frac{5}{6}=\frac{\boxed{}}{6}=1\frac{\boxed{}}{6}=1\frac{\boxed{}}{3}$$

$$\frac{5}{9}+\frac{7}{12}=\frac{5\times\boxed{}}{9\times\boxed{}}+\frac{7\times\boxed{}}{12\times\boxed{}}=\frac{\boxed{}}{36}+\frac{\boxed{}}{36}=\frac{\boxed{}}{36}=1\frac{\boxed{}}{36}$$

$$\frac{3}{8}+\frac{5}{6}$$

$$\frac{7}{8}+\frac{7}{10}$$

대분수 덧셈

🟦 아래와 같이 통분한 후 자연수는 자연수끼리, 분수는 분수끼리 더해서 계산해 보세요.
(계산 결과가 가분수이면 대분수로 나타내고, 약분할 수 있으면 기약분수로 나타냅니다.)

$$1\frac{1}{2}+1\frac{4}{5}=1\frac{5}{10}+1\frac{8}{10}=(1+1)+\left(\frac{5}{10}+\frac{8}{10}\right)=2+\frac{13}{10}=2+1\frac{3}{10}=3\frac{3}{10}$$

$$1\frac{1}{6}+2\frac{5}{9}=1\frac{\square}{18}+2\frac{\square}{18}=(1+2)+\left(\frac{\square}{18}+\frac{\square}{18}\right)$$

6과 9의 최소공배수인 18을 공통분모로 하여 통분했습니다.

$$=\square+\frac{\square}{18}=\square\frac{\square}{18}$$

$$2\frac{1}{3}+1\frac{8}{9}=2\frac{\square}{9}+1\frac{8}{9}=(2+1)+\left(\frac{\square}{9}+\frac{8}{9}\right)=\square+\frac{\square}{9}$$

$$=\square+\square\frac{\square}{9}=\square\frac{\square}{9}$$

$$1\frac{3}{4}+3\frac{2}{3}$$

아래와 같이 대분수를 가분수로 나타낸 후 통분하여 계산해 보세요. (계산 결과가 가분수이면 대분수로 나타내고, 약분할 수 있으면 기약분수로 나타냅니다.)

$$1\frac{1}{2}+1\frac{4}{5}=\frac{3}{2}+\frac{9}{5}=\frac{15}{10}+\frac{18}{10}=\frac{33}{10}=3\frac{3}{10}$$

$$2\frac{1}{4}+3\frac{5}{6}=\frac{\boxed{}}{4}+\frac{\boxed{}}{6}=\frac{\boxed{}}{12}+\frac{\boxed{}}{12}=\frac{\boxed{}}{12}=\boxed{}\frac{\boxed{}}{12}$$

$$3\frac{2}{5}+1\frac{9}{10}=\frac{\boxed{}}{5}+\frac{\boxed{}}{10}=\frac{\boxed{}}{10}+\frac{\boxed{}}{10}=\frac{\boxed{}}{10}=\boxed{}\frac{\boxed{}}{10}$$

$$1\frac{5}{6}+2\frac{1}{2}$$

$$2\frac{3}{8}+1\frac{5}{12}$$

■ 관계 있는 것끼리 이어 보세요.

$\dfrac{3}{4}+\dfrac{5}{12}$ ·

· $\dfrac{3}{4}$

$\dfrac{1}{6}+\dfrac{7}{9}$ ·

· $1\dfrac{1}{18}$

$\dfrac{2}{3}+\dfrac{1}{4}$ ·

· $\dfrac{11}{12}$

$\dfrac{8}{9}+\dfrac{11}{18}$ ·

· $\dfrac{17}{18}$

$\dfrac{7}{12}+\dfrac{1}{6}$ ·

· $1\dfrac{1}{6}$

$\dfrac{1}{2}+\dfrac{5}{9}$ ·

· $1\dfrac{1}{2}$

$1\dfrac{3}{4}+\dfrac{1}{5}$ ·

· $1\dfrac{11}{20}$

$2\dfrac{1}{6}+1\dfrac{14}{15}$ ·

· $4\dfrac{7}{30}$

$\dfrac{2}{5}+1\dfrac{3}{20}$ ·

· $2\dfrac{11}{20}$

$1\dfrac{2}{5}+2\dfrac{5}{6}$ ·

· $4\dfrac{1}{10}$

$2\dfrac{3}{10}+\dfrac{1}{4}$ ·

· $1\dfrac{19}{20}$

$3\dfrac{2}{5}+1\dfrac{13}{30}$ ·

· $4\dfrac{5}{6}$

계산해 보세요. (가분수는 대분수로 나타내고, 약분할 수 있으면 기약분수로 나타냅니다.)

$\dfrac{1}{3} + \dfrac{1}{4}$

$\dfrac{3}{4} + \dfrac{1}{10}$

$\dfrac{2}{5} + \dfrac{4}{15}$

$\dfrac{1}{6} + \dfrac{5}{8}$

$\dfrac{2}{3} + \dfrac{5}{6}$

$\dfrac{3}{5} + \dfrac{4}{7}$

$\dfrac{3}{8} + \dfrac{7}{10}$

$\dfrac{5}{12} + \dfrac{8}{9}$

$2\dfrac{2}{7} + \dfrac{3}{14}$

$\dfrac{4}{5} + 3\dfrac{1}{3}$

$3\dfrac{3}{8} + 1\dfrac{1}{2}$

$1\dfrac{2}{3} + 1\dfrac{4}{9}$

$1\dfrac{1}{4} + 2\dfrac{3}{5}$

$2\dfrac{5}{7} + 3\dfrac{3}{4}$

이야기하기

물음에 답하세요. (가분수는 대분수로 나타내고, 약분할 수 있으면 기약분수로 나타냅니다.)

유진이는 동화책을 어제 전체의 $\frac{1}{4}$을 읽었고, 오늘 전체의 $\frac{3}{8}$을 읽었습니다. 유진이가 어제와 오늘 읽은 동화책의 양은 전체의 얼마일까요?

식 _____ 답 _____

예서는 $\frac{5}{6}$시간 동안 버스를 타고, $\frac{3}{10}$시간 동안 걸어서 할머니 댁에 도착했습니다. 예서가 할머니 댁에 도착하기까지 걸린 시간은 몇 시간일까요?

식 _____ 답 _____ 시간

진욱이는 사과를 $1\frac{2}{3}$개 먹었고, 두호는 진욱이보다 $1\frac{1}{4}$개 더 많이 먹었습니다. 두호가 먹은 사과는 몇 개일까요?

식 _____ 답 _____ 개

민규는 귤을 $2\frac{7}{8}$kg, 민서는 $3\frac{5}{12}$kg을 땄습니다. 두 사람이 딴 귤은 모두 몇 kg일까요?

식 _____ 답 _____ kg

📖 물음에 답하세요. (가분수는 대분수로 나타내고, 약분할 수 있으면 기약분수로 나타냅니다.)

승아가 만든 매실 음료는 몇 L일까요?

① 승아는 컵에 매실 원액 $\frac{1}{9}$L를 넣었습니다.

② 매실 원액을 담은 컵에 물 $\frac{2}{3}$L를 넣고 잘 저었습니다.

(　　　　　　　　)

은혁이가 상자를 포장하는 데 사용한 끈은 모두 몇 m일까요?

① 은혁이는 노란색 끈 $\frac{5}{6}$m로 상자를 묶었습니다.

② 빨간색 끈 $\frac{4}{9}$m로 리본을 만들어 상자에 붙였습니다.

(　　　　　　　　)

진영이가 밥을 짓는 데 넣은 쌀과 보리는 모두 몇 컵일까요?

① 진영이는 그릇에 쌀 $3\frac{2}{5}$컵을 담았습니다.

② 그릇에 보리 $1\frac{3}{10}$컵을 더 담고 씻어서 밥을 지었습니다.

(　　　　　　　　)

집, 공원, 학교, 도서관 사이의 거리입니다. 물음에 답하세요. (가분수는 대분수로 나타내고, 약분할 수 있으면 기약분수로 나타냅니다.)

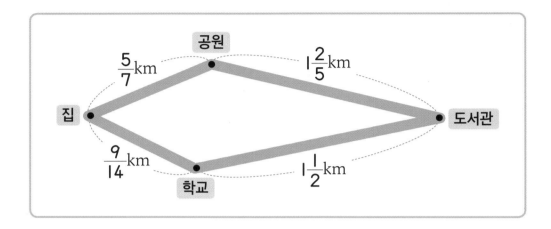

학교에서 집을 지나 공원까지 가는 거리는 몇 km일까요?

(   )

집에서 학교를 지나 도서관까지 가는 거리는 몇 km일까요?

(   )

학교에서 도서관을 지나 공원까지 가는 거리는 km일까요?

(   )

41 진분수 뺄셈

아래와 같이 분모의 곱을 공통분모로 하여 통분한 후 계산해 보세요. (계산 결과를 약분할 수 있으면 기약분수로 나타냅니다.)

$$\frac{1}{2} - \frac{1}{3} = \frac{1\times3}{2\times3} - \frac{1\times2}{3\times2} = \frac{3}{6} - \frac{2}{6} = \frac{1}{6}$$

$$\frac{5}{6} - \frac{2}{3} = \frac{5\times\square}{6\times\square} - \frac{2\times\square}{3\times\square} = \frac{\square}{18} - \frac{\square}{18} = \frac{\overset{1}{\cancel{3}}}{\underset{6}{\cancel{18}}} = \frac{\square}{6}$$

계산 결과를 약분할 수 있으면 기약분수로 나타냅니다.

$$\frac{3}{5} - \frac{1}{2} = \frac{3\times\square}{5\times\square} - \frac{1\times\square}{2\times\square} = \frac{\square}{10} - \frac{\square}{10} = \frac{\square}{10}$$

$$\frac{5}{7} - \frac{2}{5}$$

$$\frac{7}{10} - \frac{1}{4}$$

월   일

📖 아래와 같이 분모의 최소공배수를 공통분모로 하여 통분한 후 계산해 보세요.
(계산 결과를 약분할 수 있으면 기약분수로 나타냅니다.)

$$\frac{3}{4} - \frac{1}{6} = \frac{3 \times 3}{4 \times 3} - \frac{1 \times 2}{6 \times 2} = \frac{9}{12} - \frac{2}{12} = \frac{7}{12}$$

$$\frac{4}{5} - \frac{3}{10} = \frac{4 \times \boxed{}}{5 \times \boxed{}} - \frac{3}{10} = \frac{\boxed{}}{10} - \frac{\boxed{}}{10} = \frac{\overset{1}{\cancel{5}}}{\underset{2}{\cancel{10}}} = \frac{\boxed{}}{2}$$

$$\frac{4}{9} - \frac{1}{12} = \frac{4 \times \boxed{}}{9 \times \boxed{}} - \frac{1 \times \boxed{}}{12 \times \boxed{}} = \frac{\boxed{}}{36} - \frac{\boxed{}}{36} = \frac{\boxed{}}{36}$$

$$\frac{16}{21} - \frac{2}{7}$$

$$\frac{13}{15} - \frac{4}{9}$$

대분수 뺄셈 (1)

🪧 아래와 같이 통분한 후 자연수는 자연수끼리, 분수는 분수끼리 빼서 계산해 보세요.
(계산 결과가 가분수이면 대분수로 나타내고, 약분할 수 있으면 기약분수로 나타냅니다.)

$$2\frac{3}{5} - 1\frac{1}{3} = 2\frac{9}{15} - 1\frac{5}{15} = (2-1) + \left(\frac{9}{15} - \frac{5}{15}\right) = 1 + \frac{4}{15} = 1\frac{4}{15}$$

$$1\frac{5}{8} - 1\frac{1}{12} = 1\frac{\boxed{}}{24} - 1\frac{\boxed{}}{24} = (1-1) + \left(\frac{\boxed{}}{24} - \frac{\boxed{}}{24}\right) = \frac{\boxed{}}{24}$$

8과 12의 최소공배수인 24를
공통분모로 하여 통분했습니다.

$$3\frac{3}{4} - 1\frac{2}{3} = 3\frac{\boxed{}}{12} - 1\frac{\boxed{}}{12} = (3-\boxed{}) + \left(\frac{\boxed{}}{12} - \frac{\boxed{}}{12}\right)$$

$$= \boxed{} + \frac{\boxed{}}{12} = \boxed{}\frac{\boxed{}}{12}$$

$$4\frac{6}{7} - 2\frac{1}{2}$$

$$2\frac{17}{20} - 2\frac{3}{8}$$

📖 아래와 같이 대분수를 가분수로 나타낸 후 통분하여 계산해 보세요. (계산 결과가 가분수이면 대분수로 나타내고, 약분할 수 있으면 기약분수로 나타냅니다.)

$$2\frac{3}{5} - 1\frac{1}{3} = \frac{13}{5} - \frac{4}{3} = \frac{39}{15} - \frac{20}{15} = \frac{19}{15} = 1\frac{4}{15}$$

$$3\frac{4}{5} - 1\frac{4}{15} = \frac{\boxed{}}{5} - \frac{\boxed{}}{15} = \frac{\boxed{}}{15} - \frac{\boxed{}}{15} = \frac{\boxed{}}{15} = \boxed{}\frac{\boxed{}}{15}$$

$$2\frac{5}{6} - 1\frac{1}{8} = \frac{\boxed{}}{6} - \frac{\boxed{}}{8} = \frac{\boxed{}}{24} - \frac{\boxed{}}{24} = \frac{\boxed{}}{24} = \boxed{}\frac{\boxed{}}{24}$$

$$4\frac{1}{2} - 2\frac{2}{9}$$

$$3\frac{3}{10} - 2\frac{1}{4}$$

🔲 아래와 같이 통분한 후 자연수는 자연수끼리, 분수는 분수끼리 빼서 계산해 보세요.
(계산 결과가 가분수이면 대분수로 나타내고, 약분할 수 있으면 기약분수로 나타냅니다.)

$$3\frac{1}{2}-1\frac{4}{5}=3\frac{5}{10}-1\frac{8}{10}=2\frac{15}{10}-1\frac{8}{10}=(2-1)+(\frac{15}{10}-\frac{8}{10})=1+\frac{7}{10}=1\frac{7}{10}$$

분수 부분끼리 뺄 수 없으면 자연수
부분의 1을 분수로 바꿉니다.

$$2\frac{3}{8}-1\frac{3}{4}=2\frac{3}{8}-1\frac{\square}{8}=1\frac{\square}{8}-1\frac{\square}{8}$$

$2\frac{3}{8}=2+\frac{3}{8}=1+1+\frac{3}{8}=1+\frac{8}{8}+\frac{3}{8}=1+\frac{11}{8}$

$$=(1-1)+(\frac{\square}{8}-\frac{\square}{8})=\frac{\square}{8}$$

$$4\frac{1}{9}-2\frac{5}{6}=4\frac{\square}{18}-2\frac{\square}{18}=3\frac{\square}{18}-2\frac{\square}{18}$$

$$=(3-\square)+(\frac{\square}{18}-\frac{\square}{18})=\square+\frac{\square}{18}=\square\frac{\square}{18}$$

$$5\frac{2}{7}-3\frac{8}{14}$$

아래와 같이 대분수를 가분수로 나타낸 후 통분하여 계산해 보세요. (계산 결과가 가분수이면 대분수로 나타내고, 약분할 수 있으면 기약분수로 나타냅니다.)

$$3\frac{1}{2} - 1\frac{4}{5} = \frac{7}{2} - \frac{9}{5} = \frac{35}{10} - \frac{18}{10} = \frac{17}{10} = 1\frac{7}{10}$$

$$4\frac{1}{3} - 2\frac{1}{2} = \frac{\boxed{}}{3} - \frac{\boxed{}}{2} = \frac{\boxed{}}{6} - \frac{\boxed{}}{6} = \frac{\boxed{}}{6} = \boxed{}\frac{\boxed{}}{6}$$

$$3\frac{3}{4} - 1\frac{5}{6} = \frac{\boxed{}}{4} - \frac{\boxed{}}{6} = \frac{\boxed{}}{12} - \frac{\boxed{}}{12} = \frac{\boxed{}}{12} = \boxed{}\frac{\boxed{}}{12}$$

$$4\frac{2}{9} - 1\frac{2}{3}$$

$$3\frac{1}{5} - 2\frac{3}{4}$$

두 분수의 차

📖 계산이 처음으로 잘못된 부분을 찾아 ◯표 하고, 바르게 고쳐 계산해 보세요.

$$\frac{11}{12} - \frac{3}{20} = \frac{11 \times 3}{12 \times 5} - \frac{3 \times 5}{20 \times 3} = \frac{33}{60} - \frac{15}{60} = \frac{18}{60} = \frac{3}{10}$$

$$\frac{11}{12} - \frac{3}{20} =$$

_____

$$6\frac{3}{8} - 2\frac{3}{4} = 6\frac{3}{8} - 2\frac{6}{8} = 5\frac{9}{8} - 2\frac{6}{8} = (5-2) + \left(\frac{9}{8} - \frac{6}{8}\right) = 3 + \frac{3}{8} = 3\frac{3}{8}$$

$$6\frac{3}{8} - 2\frac{3}{4} =$$

_____

$$3\frac{5}{6} - \frac{2}{9} = \frac{23}{6} - \frac{2}{9} = \frac{23}{18} - \frac{2}{18} = \frac{21}{18} = 1\frac{3}{18} = 1\frac{1}{6}$$

$$3\frac{5}{6} - \frac{2}{9} =$$

_____

📖 계산해 보세요. (가분수는 대분수로 나타내고, 약분할 수 있으면 기약분수로 나타냅니다.)

$\dfrac{1}{2} - \dfrac{1}{6}$

$\dfrac{1}{3} - \dfrac{1}{4}$

$\dfrac{5}{6} - \dfrac{3}{8}$

$\dfrac{13}{14} - \dfrac{3}{4}$

$3\dfrac{6}{7} - 1\dfrac{1}{2}$

$2\dfrac{2}{3} - 1\dfrac{4}{15}$

$2\dfrac{4}{5} - 2\dfrac{2}{7}$

$5\dfrac{7}{12} - 2\dfrac{3}{8}$

$2\dfrac{1}{6} - 1\dfrac{1}{3}$

$4\dfrac{1}{3} - 2\dfrac{3}{4}$

$3\dfrac{2}{15} - 1\dfrac{4}{5}$

$3\dfrac{1}{4} - 2\dfrac{5}{6}$

$2\dfrac{1}{10} - \dfrac{5}{6}$

$4\dfrac{3}{5} - \dfrac{5}{8}$

■ 물음에 답하세요. (가분수는 대분수로 나타내고, 약분할 수 있으면 기약분수로 나타냅니다.)

냉장고에 주스가 $\frac{9}{10}$L 있었습니다. 진영이가 $\frac{2}{5}$L를 마셨다면 남은 주스는 몇 L일까요?

식 _____ 답 _____ L

두호는 빈 물병에 물 $\frac{7}{9}$L를 담으려고 했다가 $\frac{1}{12}$L를 덜어 내고 담았습니다. 물병에 담긴 물은 몇 L일까요?

식 _____ 답 _____ L

선물을 포장하는 데 필요한 색종이는 $5\frac{2}{3}$장입니다. 지윤이가 가지고 있는 색종이는 $2\frac{1}{5}$장입니다. 색종이는 얼마나 더 필요할까요?

식 _____ 답 _____ 장

지수는 찰흙을 $2\frac{1}{7}$kg, 예준이는 $1\frac{3}{4}$kg 가지고 있습니다. 지수는 예준이보다 찰흙을 얼마나 더 많이 가지고 있을까요?

식 _____ 답 _____ kg

📘 물음에 답하세요. (가분수는 대분수로 나타내고, 약분할 수 있으면 기약분수로 나타냅니다.)

서진이는 등교를 하는 데 $\frac{3}{8}$시간, 유나는 $\frac{1}{6}$시간 걸립니다. 등교를 하는 데 누가 몇 시간 더 많이 걸릴까요?

(,   )

민영이는 방울토마토를 $\frac{11}{15}$kg 땄고 지한이는 $\frac{7}{9}$kg 땄습니다. 방울토마토를 누가 몇 kg 더 많이 땄을까요?

(,   )

멀리뛰기를 했습니다. 해수는 $2\frac{3}{4}$m, 진우는 $2\frac{7}{12}$m를 기록했습니다. 누가 몇 m 더 멀리 뛰었을까요?

(,   )

냉장고의 높이는 $1\frac{2}{3}$m, 옷장의 높이는 $1\frac{9}{10}$m입니다. 냉장고와 옷장 중 어느 것이 몇 m 더 높을까요?

(,   )

📖 친구들이 마신 우유의 양입니다. 물음에 답하세요. (단, 우유 한 컵의 양은 같습니다.)

민규	예나	나은	상원
$\frac{13}{15}$컵	$1\frac{3}{4}$컵	$\frac{5}{6}$컵	$1\frac{3}{5}$컵

상원이는 민규보다 우유를 몇 컵 더 많이 마셨나요?

(   )

예나와 상원이 중에서 우유를 누가 몇 컵 더 많이 마셨나요?

(,   )

민규와 나은이 중에서 우유를 누가 몇 컵 더 많이 마셨나요?

(,   )

5주차 분수의 덧셈과 뺄셈

분수의 합과 차

🔷 두 분수의 합과 차를 구해 보세요. (가분수는 대분수로 나타내고, 약분할 수 있으면 기약분수로 나타냅니다.)

$\dfrac{2}{3}$ $\dfrac{5}{6}$

합 ☐   차 ☐

$\dfrac{7}{24}$ $\dfrac{3}{8}$

합 ☐   차 ☐

$\dfrac{7}{9}$ $\dfrac{2}{5}$

합 ☐   차 ☐

$1\dfrac{2}{9}$ $1\dfrac{5}{12}$

합 ☐   차 ☐

$1\dfrac{4}{7}$ $3\dfrac{2}{3}$

합 ☐   차 ☐

$3\dfrac{1}{10}$ $2\dfrac{5}{8}$

합 ☐   차 ☐

빈칸에 알맞은 수를 써넣으세요. (가분수는 대분수로 나타내고, 약분할 수 있으면 기약분수로 나타냅니다.)

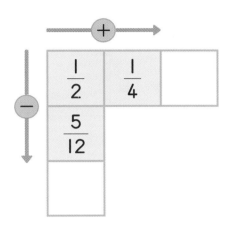

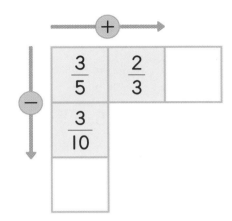

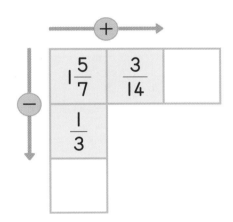

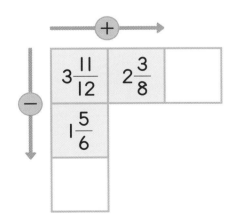

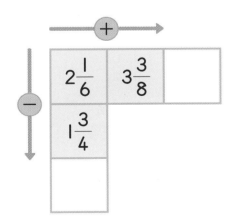

47 수 카드와 대분수

📘 수 카드를 한 번씩만 사용하여 가장 작은 대분수를 만들고, 만든 대분수의 합을 구해 보세요. (계산 결과는 대분수로 나타내고, 약분할 수 있으면 기약분수로 나타냅니다.)

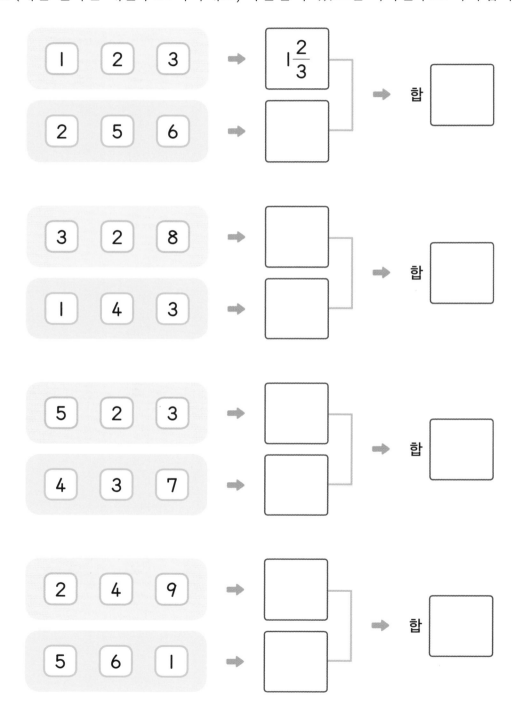

📖 수 카드를 한 번씩만 사용하여 만들 수 있는 가장 큰 대분수와 가장 작은 대분수의 차를 구해 보세요. (계산 결과는 대분수로 나타내고, 약분할 수 있으면 기약분수로 나타냅니다.)

$$3\frac{1}{2} - 1\frac{2}{3} = \underline{\quad}$$

| 2 | 3 | 5 |

$$\square - \square = \underline{\quad}$$

| 7 | 2 | 1 |

$$\square - \square = \underline{\quad}$$

| 3 | 8 | 1 |

$$\square - \square = \underline{\quad}$$

| 4 | 3 | 5 |

$$\square - \square = \underline{\quad}$$

| 4 | 3 | 7 |

$$\square - \square = \underline{\quad}$$

□가 있는 계산

🔖 빈칸에 알맞은 수를 써넣으세요. (가분수는 대분수로 나타내고, 약분할 수 있으면 기약분수로 나타냅니다.)

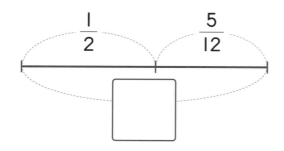

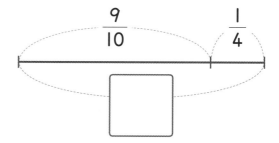

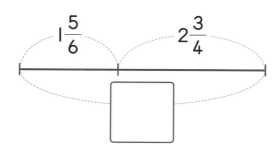

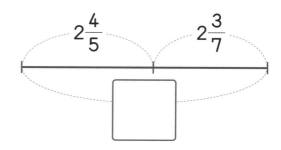

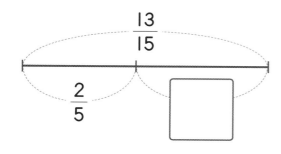

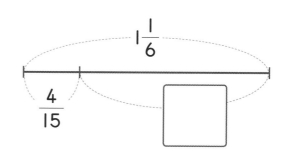

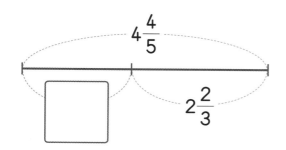

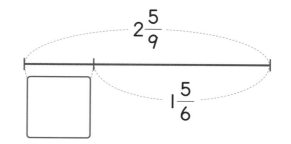

빈 곳에 알맞은 수를 써넣으세요. (가분수는 대분수로 나타내고, 약분할 수 있으면 기약
분수로 나타냅니다.)

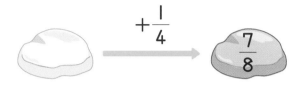

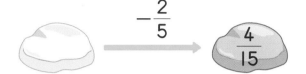

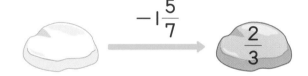

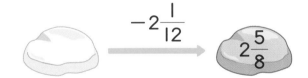

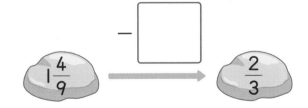

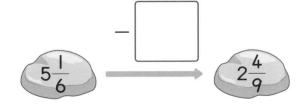

이야기하기 (1)

📒 물음에 답하세요. (가분수는 대분수로 나타내고, 약분할 수 있으면 기약분수로 나타냅니다.)

냉장고에 $1\frac{4}{5}$ L짜리 주스가 **2**병 있습니다. 지수네 가족이 주스 $2\frac{4}{15}$ L를 마셨습니다. 남은 주스가 몇 L인지 물음에 답하세요.

냉장고에 있는 주스는 모두 몇 L인가요?

(   )

지수네 가족이 마시고 남은 주스는 몇 L일까요?

(   )

소방서에서 우체국까지 가는 거리는 몇 km인지 물음에 답하세요.

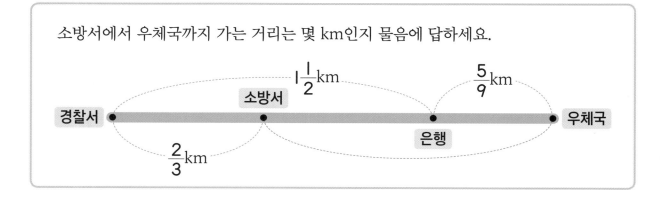

경찰서에서 우체국까지 가는 거리는 몇 km인가요?

(   )

소방서에서 우체국까지 가는 거리는 몇 km인가요?

(   )

📖 물음에 답하세요. (가분수는 대분수로 나타내고, 약분할 수 있으면 기약분수로 나타냅니다.)

집에서 바로 공원으로 가는 길은 집에서 약국을 지나 공원으로 가는 길보다 몇 km 더 가까운가요?

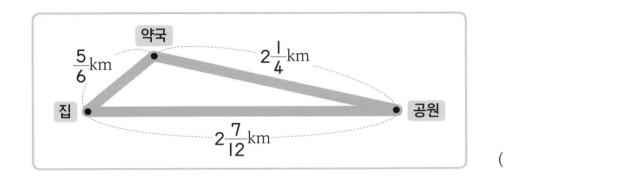

( )

양팔저울이 수평을 이루고 있습니다. 감의 무게는 몇 kg일까요?

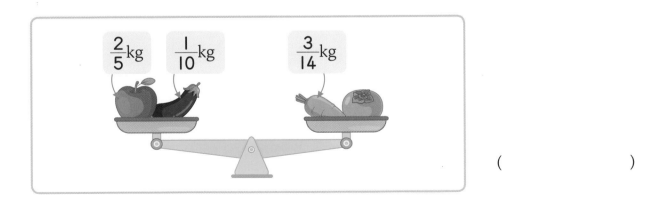

( )

50 이야기하기 (2)

지연이와 성훈이가 책을 읽었습니다. 물음에 답하세요. (가분수는 대분수로 나타내고, 약분할 수 있으면 기약분수로 나타냅니다.)

지연이는 오전에 $\frac{2}{9}$시간, 오후에 $\frac{1}{3}$시간 동안 책을 읽었고, 성훈이는 오전에 $\frac{1}{6}$시간, 오후에 $\frac{5}{18}$시간 동안 책을 읽었습니다. 누가 책을 얼마나 더 오래 읽었는지 물음에 답하세요.

지연이는 몇 시간 동안 책을 읽었나요?

(   )

성훈이는 몇 시간 동안 책을 읽었나요?

(   )

누가 책을 몇 시간 더 오래 읽었나요?

(,   )

식물원 입구에서 전망대로 가는 길입니다. 물음에 답하세요. (가분수는 대분수로 나타내고, 약분할 수 있으면 기약분수로 나타냅니다.)

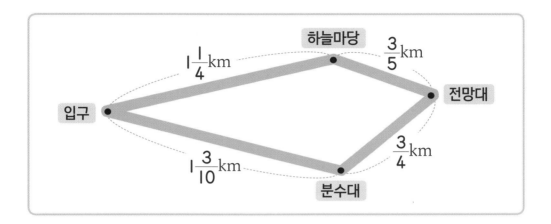

입구에서 하늘마당을 지나 전망대로 가는 거리는 몇 km인가요?

(   )

입구에서 분수대를 지나 전망대로 가는 거리는 몇 km인가요?

(   )

입구에서 어느 곳을 지나 전망대로 가는 것이 얼마나 더 가까운가요?

입구에서 [   ] 을 지나 전망대로 가는 거리가 [   ] km 더 가깝습니다.

📖 물음에 답하세요. (가분수는 대분수로 나타내고, 약분할 수 있으면 기약분수로 나타냅니다.)

현우와 세희가 선물 상자를 포장합니다. 현우는 노란색 끈 $\frac{4}{5}$m와 파란색 끈 $\frac{2}{3}$m를 사용했고, 세희는 노란색 끈 $\frac{5}{6}$m와 파란색 끈 $\frac{3}{5}$m를 사용했습니다. 누가 전체 끈을 몇 m 더 많이 사용했을까요?

현우와 세희가 사용한 끈의 길이를 각각 구합니다.

(,   )

민서와 선우가 주말 농장에서 감자와 고구마를 캤습니다. 민서는 감자 $2\frac{5}{6}$kg, 고구마 $2\frac{1}{12}$kg을 캤고, 선우는 감자 $1\frac{1}{3}$kg, 고구마 $3\frac{3}{4}$kg을 캤습니다. 감자와 고구마를 합쳐 누가 몇 kg 더 많이 캤을까요?

(,   )

하루 한 장 75일
집중 완성

교과
연산

정답

초5

E2

약분과 통분 / 분수의 덧셈과 뺄셈

HERO

정답

정답

26 공약수로 나누기

월 일

■ 분모와 분자를 1을 제외한 공약수로 나누어 약분해 보세요.

$\dfrac{5}{15}$ $\dfrac{5}{15} = \dfrac{5÷5}{15÷5} = \dfrac{1}{3}$ $\dfrac{7}{14}$ $\dfrac{7}{14} = \dfrac{7÷7}{14÷7} = \dfrac{1}{2}$

7과 14의 공약수는 1, 7입니다.

$\dfrac{8}{12}$ $\dfrac{8}{12} = \dfrac{8÷2}{12÷2} = \dfrac{4}{6}$ $\dfrac{8}{12} = \dfrac{8÷4}{12÷4} = \dfrac{2}{3}$

$\dfrac{30}{36}$ $\dfrac{30}{36} = \dfrac{30÷2}{36÷2} = \dfrac{15}{18}$ $\dfrac{30}{36} = \dfrac{30÷3}{36÷3} = \dfrac{10}{12}$

$\dfrac{30}{36} = \dfrac{30÷6}{36÷6} = \dfrac{5}{6}$

★ 약분

분모와 분자를 1을 제외한 공약수로 나누어 간단한 분수로 만드는 것을 약분한다고 합니다.

16과 12의 공약수: 1, 2, 4

$\dfrac{12}{16} = \dfrac{12÷2}{16÷2} = \dfrac{6}{8}$ ➡ $\dfrac{12}{16} = \dfrac{6}{8}$ $\dfrac{12}{16} = \dfrac{12÷4}{16÷4} = \dfrac{3}{4}$ ➡ $\dfrac{12}{16} = \dfrac{3}{4}$

$\dfrac{12}{16}$를 약분한 분수는 $\dfrac{6}{8}$, $\dfrac{3}{4}$입니다.

■ 빈 곳에 알맞은 수를 써넣으세요.

$\dfrac{10}{20}$	분모와 분자의 최대공약수	10
	분모와 분자의 공약수	1, 2, 5, 10
	$\dfrac{10}{20}$을 약분한 분수	$\dfrac{5}{10}$, $\dfrac{2}{4}$, $\dfrac{1}{2}$

최대공약수의 약수는 공약수입니다.

$\dfrac{30}{75}$	분모와 분자의 최대공약수	15
	분모와 분자의 공약수	1, 3, 5, 15
	$\dfrac{30}{75}$을 약분한 분수	$\dfrac{10}{25}$, $\dfrac{6}{15}$, $\dfrac{2}{5}$

$\dfrac{24}{32}$	분모와 분자의 최대공약수	8
	분모와 분자의 공약수	1, 2, 4, 8
	$\dfrac{24}{32}$를 약분한 분수	$\dfrac{12}{16}$, $\dfrac{6}{8}$, $\dfrac{3}{4}$

$\dfrac{12}{36}$	분모와 분자의 최대공약수	12
	분모와 분자의 공약수	1, 2, 3, 4, 6, 12
	$\dfrac{12}{36}$를 약분한 분수	$\dfrac{6}{18}$, $\dfrac{4}{12}$, $\dfrac{3}{9}$, $\dfrac{2}{6}$, $\dfrac{1}{3}$

27 약분하기

월 일

■ 약분한 분수를 모두 써 보세요.

$\dfrac{5}{35}$ ➡ $\dfrac{1}{7}$ 공약수: 1, 5

$\dfrac{21}{28}$ ➡ $\dfrac{3}{4}$ 공약수: 1, 7

$\dfrac{13}{39}$ ➡ $\dfrac{1}{3}$ 공약수: 1, 13

$\dfrac{22}{33}$ ➡ $\dfrac{2}{3}$ 공약수: 1, 11

$\dfrac{18}{27}$ ➡ $\dfrac{6}{9}$, $\dfrac{2}{3}$ 18과 27의 최대공약수: 9   9의 약수: 1, 3, 9

$\dfrac{20}{32}$ ➡ $\dfrac{10}{16}$, $\dfrac{5}{8}$ 공약수: 1, 2, 4

$\dfrac{6}{12}$ ➡ $\dfrac{3}{6}$, $\dfrac{2}{4}$, $\dfrac{1}{2}$ 공약수: 1, 2, 3, 6

$\dfrac{10}{40}$ ➡ $\dfrac{5}{20}$, $\dfrac{2}{8}$, $\dfrac{1}{4}$ 공약수: 1, 2, 5, 10

$\dfrac{18}{72}$ ➡ $\dfrac{9}{36}$, $\dfrac{6}{24}$, $\dfrac{3}{12}$, $\dfrac{2}{8}$, $\dfrac{1}{4}$ 공약수: 1, 2, 3, 6, 9, 18

$\dfrac{24}{60}$ ➡ $\dfrac{12}{30}$, $\dfrac{8}{20}$, $\dfrac{6}{15}$, $\dfrac{4}{10}$, $\dfrac{2}{5}$ 공약수: 1, 2, 3, 4, 6, 12

■ 왼쪽 분수를 약분한 것을 모두 찾아 ○표 하세요.

$\dfrac{16}{28}$ | $\dfrac{4}{10}$ $\dfrac{3}{7}$ ⊙$\dfrac{8}{14}$ $\dfrac{14}{21}$ $\dfrac{10}{14}$ ⊙$\dfrac{4}{7}$
공약수: 1, 2, 4

$\dfrac{10}{50}$ | ⊙$\dfrac{5}{25}$ $\dfrac{5}{10}$ $\dfrac{10}{40}$ ⊙$\dfrac{1}{5}$ ⊙$\dfrac{2}{10}$ $\dfrac{2}{5}$
공약수: 1, 2, 5, 10

$\dfrac{30}{36}$ | $\dfrac{10}{15}$ ⊙$\dfrac{5}{6}$ ⊙$\dfrac{10}{12}$ $\dfrac{6}{9}$ ⊙$\dfrac{15}{18}$ $\dfrac{60}{72}$
공약수: 1, 2, 3, 6

$\dfrac{24}{32}$ | ⊙$\dfrac{6}{8}$ $\dfrac{8}{12}$ $\dfrac{6}{16}$ ⊙$\dfrac{3}{4}$ $\dfrac{4}{8}$ ⊙$\dfrac{12}{16}$
공약수: 1, 2, 4, 8

$\dfrac{22}{88}$ | $\dfrac{1}{8}$ ⊙$\dfrac{1}{4}$ ⊙$\dfrac{11}{44}$ $\dfrac{2}{8}$ ⊙$\dfrac{11}{22}$ $\dfrac{2}{11}$
공약수: 1, 2, 11, 22

$\dfrac{16}{48}$ | ⊙$\dfrac{4}{12}$ $\dfrac{1}{4}$ $\dfrac{2}{8}$ $\dfrac{8}{12}$ ⊙$\dfrac{1}{3}$ ⊙$\dfrac{8}{24}$
공약수: 1, 2, 4, 8, 16

28 기약분수

📖 기약분수로 나타내려고 합니다. 빈칸에 알맞은 수를 써넣으세요.

$$\frac{14}{21} = \frac{14 \div 7}{21 \div 7} = \frac{\boxed{2}}{\boxed{3}} \qquad \frac{8}{16} = \frac{8 \div \boxed{8}}{16 \div \boxed{8}} = \frac{\boxed{1}}{\boxed{2}}$$

$$\frac{5}{25} = \frac{5 \div \boxed{5}}{25 \div \boxed{5}} = \frac{\boxed{1}}{\boxed{5}} \qquad \frac{2}{26} = \frac{2 \div \boxed{2}}{26 \div \boxed{2}} = \frac{\boxed{1}}{\boxed{13}}$$

$$\frac{35}{56} = \frac{35 \div \boxed{7}}{56 \div \boxed{7}} = \frac{\boxed{5}}{\boxed{8}} \qquad \frac{16}{40} = \frac{16 \div \boxed{8}}{40 \div \boxed{8}} = \frac{\boxed{2}}{\boxed{5}}$$

$$\frac{24}{36} = \frac{24 \div \boxed{12}}{36 \div \boxed{12}} = \frac{\boxed{2}}{\boxed{3}} \qquad \frac{19}{38} = \frac{19 \div \boxed{19}}{38 \div \boxed{19}} = \frac{\boxed{1}}{\boxed{2}}$$

★ 기약분수

분모와 분자의 공약수가 1뿐인 분수를 기약분수라고 합니다.

$$\frac{12}{16} = \frac{12 \div 4}{16 \div 4} = \frac{3}{4} \;\Rightarrow\; \frac{12}{16} = \frac{6}{8} = \frac{3}{4}$$

분모와 분자를 최대공약수로 나누면 기약분수가 됩니다.
기약분수는 분모와 분자를 1을 제외한 다른 같은 자연수로 더 이상 나눌 수 없습니다.

📖 기약분수로 나타내어 보세요.

 $\dfrac{12}{36} = \dfrac{\boxed{1}}{\boxed{3}}$ $\dfrac{3}{9} = \dfrac{\boxed{1}}{\boxed{3}}$ $\dfrac{2}{14} = \dfrac{\boxed{1}}{\boxed{7}}$

 $\dfrac{6}{21} = \dfrac{\boxed{2}}{\boxed{7}}$ $\dfrac{15}{20} = \dfrac{\boxed{3}}{\boxed{4}}$ $\dfrac{16}{18} = \dfrac{\boxed{8}}{\boxed{9}}$

 $\dfrac{12}{30} = \dfrac{\boxed{2}}{\boxed{5}}$ $\dfrac{9}{36} = \dfrac{\boxed{1}}{\boxed{4}}$ $\dfrac{20}{24} = \dfrac{\boxed{5}}{\boxed{6}}$

 $\dfrac{30}{42} = \dfrac{\boxed{5}}{\boxed{7}}$ $\dfrac{24}{64} = \dfrac{\boxed{3}}{\boxed{8}}$ $\dfrac{48}{96} = \dfrac{\boxed{1}}{\boxed{2}}$

 $\dfrac{55}{88} = \dfrac{\boxed{5}}{\boxed{8}}$ $\dfrac{36}{60} = \dfrac{\boxed{3}}{\boxed{5}}$ $\dfrac{75}{100} = \dfrac{\boxed{3}}{\boxed{4}}$

---

29 기약분수 찾기

📖 기약분수에 ◯표 하세요.

(4/7) | 4/6	6/9 | (7/8)	4/10 | (3/10)
(2/13) | 4/14	(8/9) | 9/12	8/16 | (7/15)
10/18 | (10/19)	9/15 | (11/12)	(12/23) | 8/22
(6/25) | 27/30	13/39 | (13/15)	(12/35) | 14/42
21/49 | (23/40)	(3/38) | 19/38	(25/72) | 27/81

📖 주어진 진분수가 기약분수라고 할 때, □ 안에 들어갈 수 있는 수를 모두 써 보세요.

 $\dfrac{\square}{4}$ (1, 3)
분모와 분자의 공약수가 1뿐이어야 합니다.

$\dfrac{\square}{5}$ (1, 2, 3, 4)
분자가 1이면 항상 기약분수입니다.

 $\dfrac{\square}{6}$ (1, 5)

$\dfrac{\square}{10}$ (1, 3, 7, 9)

 $\dfrac{\square}{8}$ (1, 3, 5, 7)

$\dfrac{\square}{12}$ (1, 5, 7, 11)

$\dfrac{\square}{7}$ (1, 2, 3, 4, 5, 6)

$\dfrac{\square}{9}$ (1, 2, 4, 5, 7, 8)

$\dfrac{\square}{18}$ (1, 5, 7, 11, 13, 17)

16·17 쪽

30 일 조건에 맞는 분수

월 일

📋 수 카드 중 2장을 골라 만들 수 있는 진분수인 기약분수를 모두 만들어 보세요.

| 1 | 2 | 4 | 8 |

($\dfrac{1}{2}$, $\dfrac{1}{4}$, $\dfrac{1}{8}$)

분모가 2, 4, 8일 때 만들 수 있는 기약분수 순서로 찾아봅니다.

| 3 | 4 | 8 | 9 |

($\dfrac{3}{4}$, $\dfrac{3}{8}$, $\dfrac{4}{9}$, $\dfrac{8}{9}$)

| 2 | 3 | 6 | 7 |

($\dfrac{2}{3}$, $\dfrac{2}{7}$, $\dfrac{3}{7}$, $\dfrac{6}{7}$)

| 3 | 5 | 6 | 10 |

($\dfrac{3}{5}$, $\dfrac{5}{6}$, $\dfrac{3}{10}$)

| 2 | 5 | 9 | 12 |

($\dfrac{2}{5}$, $\dfrac{2}{9}$, $\dfrac{5}{9}$, $\dfrac{5}{12}$)

| 5 | 7 | 15 | 18 |

($\dfrac{5}{7}$, $\dfrac{7}{15}$, $\dfrac{5}{18}$, $\dfrac{7}{18}$)

📋 물음에 답하세요.

사탕이 18개 있었는데 재현이가 사탕 9개를 먹었습니다. 재현이가 먹은 사탕은 전체 사탕의 몇 분의 몇인지 기약분수로 나타내어 보세요.

$\dfrac{9}{18} = \dfrac{1}{2}$ ($\dfrac{1}{2}$)

수아는 하루 24시간 중에서 8시간 동안 잠을 잡니다. 수아가 잠을 자는 시간은 하루 전체의 몇 분의 몇인지 기약분수로 나타내어 보세요.

$\dfrac{8}{24} = \dfrac{1}{3}$ ($\dfrac{1}{3}$)

현수네 반 학생들은 25명입니다. 이 중에서 15명이 안경을 쓰고 있습니다. 안경을 쓴 학생은 전체 학생의 몇 분의 몇인지 기약분수로 나타내어 보세요.

$\dfrac{15}{25} = \dfrac{3}{5}$ ($\dfrac{3}{5}$)

색종이가 90장 있습니다. 이 중에서 27장으로 종이학을 접었습니다. 종이학을 접는 데 사용한 색종이는 전체 색종이의 몇 분의 몇인지 기약분수로 나타내어 보세요.

$\dfrac{27}{90} = \dfrac{3}{10}$ ($\dfrac{3}{10}$)

18 쪽

📋 설명하는 분수를 써 보세요.

$\dfrac{4}{16}$ 를 약분한 분수 중에서 분모가 8인 분수

($\dfrac{2}{8}$)

$\dfrac{18}{30}$ 을 약분한 분수 중에서 분자가 3인 분수

($\dfrac{3}{5}$)

분모가 24인 분수 중에서 약분하면 $\dfrac{3}{8}$ 이 되는 분수

($\dfrac{9}{24}$)

분자가 15인 분수 중에서 약분하면 $\dfrac{3}{7}$ 이 되는 분수

($\dfrac{15}{35}$)

분모와 분자의 합이 55인 분수 중에서 약분하면 $\dfrac{2}{9}$ 가 되는 분수

($\dfrac{10}{45}$)

31 분모가 같은 분수

월 일

■ 크기가 같은 분수를 분모가 작은 것부터 차례로 6개씩 쓰고, 빈칸에 알맞은 수를 써넣으세요.

| $\frac{1}{2}$ | $\frac{2}{4}$ | $\frac{3}{6}$ | $\frac{4}{8}$ | $\frac{5}{10}$ | $\frac{6}{12}$ | $\frac{7}{14}$ |
| $\frac{1}{3}$ | $\frac{2}{6}$ | $\frac{3}{9}$ | $\frac{4}{12}$ | $\frac{5}{15}$ | $\frac{6}{18}$ | $\frac{7}{21}$ |

분자와 분모에 0이 아닌 같은 수를 곱하면 크기가 같은 분수가 됩니다.

분모가 같은 분수: $\left(\frac{1}{2}, \frac{1}{3}\right)$ → $\left(\frac{3}{6}, \frac{2}{6}\right)$, $\left(\frac{6}{12}, \frac{4}{12}\right)$

두 분모의 최소공배수의 배수로 분모가 같은 분수를 만들 수 있습니다.

| $\frac{1}{4}$ | $\frac{2}{8}$ | $\frac{3}{12}$ | $\frac{4}{16}$ | $\frac{5}{20}$ | $\frac{6}{24}$ | $\frac{7}{28}$ |
| $\frac{5}{6}$ | $\frac{10}{12}$ | $\frac{15}{18}$ | $\frac{20}{24}$ | $\frac{25}{30}$ | $\frac{30}{36}$ | $\frac{35}{42}$ |

분모가 같은 분수: $\left(\frac{1}{4}, \frac{5}{6}\right)$ → $\left(\frac{3}{12}, \frac{10}{12}\right)$, $\left(\frac{6}{24}, \frac{20}{24}\right)$

| $\frac{3}{5}$ | $\frac{6}{10}$ | $\frac{9}{15}$ | $\frac{12}{20}$ | $\frac{15}{25}$ | $\frac{18}{30}$ | $\frac{21}{35}$ |
| $\frac{7}{10}$ | $\frac{14}{20}$ | $\frac{21}{30}$ | $\frac{28}{40}$ | $\frac{35}{50}$ | $\frac{42}{60}$ | $\frac{49}{70}$ |

분모가 같은 분수: $\left(\frac{3}{5}, \frac{7}{10}\right)$ → $\left(\frac{6}{10}, \frac{7}{10}\right)$, $\left(\frac{12}{20}, \frac{14}{20}\right)$, $\left(\frac{18}{30}, \frac{21}{30}\right)$

■ 분모가 같으면서 크기가 같은 분수가 되도록 빈칸에 알맞은 수를 써넣으세요.

$\left(\frac{1}{4}, \frac{5}{8}\right)$ → $\left(\frac{2}{8}, \frac{5}{8}\right)$, $\left(\frac{4}{16}, \frac{10}{16}\right)$, $\left(\frac{6}{24}, \frac{15}{24}\right)$

$\left(\frac{3}{5}, \frac{2}{15}\right)$ → $\left(\frac{9}{15}, \frac{2}{15}\right)$, $\left(\frac{18}{30}, \frac{4}{30}\right)$, $\left(\frac{27}{45}, \frac{6}{45}\right)$

$\left(\frac{2}{3}, \frac{1}{4}\right)$ → $\left(\frac{8}{12}, \frac{3}{12}\right)$, $\left(\frac{16}{24}, \frac{6}{24}\right)$, $\left(\frac{24}{36}, \frac{9}{36}\right)$

$\left(\frac{1}{2}, \frac{3}{5}\right)$ → $\left(\frac{5}{10}, \frac{6}{10}\right)$, $\left(\frac{10}{20}, \frac{12}{20}\right)$, $\left(\frac{15}{30}, \frac{18}{30}\right)$

$\left(\frac{1}{6}, \frac{2}{9}\right)$ → $\left(\frac{3}{18}, \frac{4}{18}\right)$, $\left(\frac{6}{36}, \frac{8}{36}\right)$, $\left(\frac{9}{54}, \frac{12}{54}\right)$

---

32 분모의 곱으로 통분

월 일

■ 분모의 곱을 공통분모로 하여 통분하려고 합니다. 빈칸에 알맞은 수를 써넣으세요.

$\left(\frac{1}{3}, \frac{1}{6}\right)$ → $\left(\frac{1\times6}{3\times6}, \frac{1\times3}{6\times3}\right)$ → $\left(\frac{6}{18}, \frac{3}{18}\right)$

18은 두 분수의 공통분모입니다.

$\left(\frac{3}{4}, \frac{5}{9}\right)$ → $\left(\frac{3\times9}{4\times9}, \frac{5\times4}{9\times4}\right)$ → $\left(\frac{27}{36}, \frac{20}{36}\right)$

$\left(\frac{2}{5}, \frac{9}{10}\right)$ → $\left(\frac{2\times10}{5\times10}, \frac{9\times5}{10\times5}\right)$ → $\left(\frac{20}{50}, \frac{45}{50}\right)$

$\left(\frac{4}{7}, \frac{3}{8}\right)$ → $\left(\frac{4\times8}{7\times8}, \frac{3\times7}{8\times7}\right)$ → $\left(\frac{32}{56}, \frac{21}{56}\right)$

★ 통분 (1)

분수의 분모를 같게 만드는 것을 통분한다고 하고, 통분한 분모를 공통분모라고 합니다.
• 두 분모의 곱을 공통분모로 하여 통분하기

$\left(\frac{5}{6}, \frac{3}{8}\right)$ → $\left(\frac{5\times8}{6\times8}, \frac{3\times6}{8\times6}\right)$ → $\left(\frac{40}{48}, \frac{18}{48}\right)$ 48을 공통분모로 하여 통분했습니다.

■ 분모의 곱을 공통분모로 하여 통분해 보세요.

$\left(\frac{1}{4}, \frac{5}{6}\right)$ → $\left(\frac{6}{24}, \frac{20}{24}\right)$ $\left(\frac{1}{2}, \frac{3}{7}\right)$ → $\left(\frac{7}{14}, \frac{6}{14}\right)$

$\left(\frac{2}{3}, \frac{3}{8}\right)$ → $\left(\frac{16}{24}, \frac{9}{24}\right)$ $\left(\frac{1}{8}, \frac{2}{5}\right)$ → $\left(\frac{5}{40}, \frac{16}{40}\right)$

$\left(\frac{3}{4}, \frac{5}{12}\right)$ → $\left(\frac{36}{48}, \frac{20}{48}\right)$ $\left(\frac{1}{3}, \frac{6}{13}\right)$ → $\left(\frac{13}{39}, \frac{18}{39}\right)$

$\left(\frac{1}{6}, \frac{4}{9}\right)$ → $\left(\frac{9}{54}, \frac{24}{54}\right)$ $\left(\frac{2}{9}, \frac{7}{8}\right)$ → $\left(\frac{16}{72}, \frac{63}{72}\right)$

$\left(\frac{7}{10}, \frac{3}{7}\right)$ → $\left(\frac{49}{70}, \frac{30}{70}\right)$ $\left(\frac{3}{5}, \frac{4}{11}\right)$ → $\left(\frac{33}{55}, \frac{20}{55}\right)$

33 분모의 최소공배수로 통분

■ 분모의 최소공배수를 공통분모로 하여 통분하려고 합니다. 빈칸에 알맞은 수를 써넣으세요.

3과 6의 최소공배수: $\boxed{6}$

$\left(\dfrac{1}{3}, \dfrac{5}{6}\right) \Rightarrow \left(\dfrac{1\times2}{3\times2}, \dfrac{5}{6}\right) \Rightarrow \left(\dfrac{\boxed{2}}{6}, \dfrac{\boxed{5}}{6}\right)$

6은 두 분수의 공통분모입니다.

6과 9의 최소공배수: $\boxed{18}$

$\left(\dfrac{5}{6}, \dfrac{4}{9}\right) \Rightarrow \left(\dfrac{5\times\boxed{3}}{6\times\boxed{3}}, \dfrac{4\times\boxed{2}}{9\times\boxed{2}}\right) \Rightarrow \left(\dfrac{\boxed{15}}{18}, \dfrac{\boxed{8}}{18}\right)$

12와 16의 최소공배수: $\boxed{48}$

$\left(\dfrac{7}{12}, \dfrac{3}{16}\right) \Rightarrow \left(\dfrac{7\times\boxed{4}}{12\times\boxed{4}}, \dfrac{3\times\boxed{3}}{16\times\boxed{3}}\right) \Rightarrow \left(\dfrac{\boxed{28}}{48}, \dfrac{\boxed{9}}{48}\right)$

★ 통분 (2)

• 두 분모의 최소공배수를 공통분모로 하여 통분하기

분모 6과 8의 최소공배수는 24이므로
24를 공통분모로 하여 통분합니다. $\left(\dfrac{5}{6}, \dfrac{3}{8}\right) \Rightarrow \left(\dfrac{5\times4}{6\times4}, \dfrac{3\times3}{8\times3}\right) \Rightarrow \left(\dfrac{20}{24}, \dfrac{9}{24}\right)$

■ 분모의 최소공배수를 공통분모로 하여 통분해 보세요.

$\left(\dfrac{1}{2}, \dfrac{3}{4}\right) \Rightarrow \left(\dfrac{\boxed{2}}{4}, \dfrac{\boxed{3}}{4}\right)$ $\left(\dfrac{1}{4}, \dfrac{1}{6}\right) \Rightarrow \left(\dfrac{\boxed{3}}{12}, \dfrac{\boxed{2}}{12}\right)$

$\left(\dfrac{2}{3}, \dfrac{1}{9}\right) \Rightarrow \left(\dfrac{\boxed{6}}{9}, \dfrac{\boxed{1}}{9}\right)$ $\left(\dfrac{3}{5}, \dfrac{3}{10}\right) \Rightarrow \left(\dfrac{\boxed{6}}{10}, \dfrac{\boxed{3}}{10}\right)$

$\left(\dfrac{5}{6}, \dfrac{7}{8}\right) \Rightarrow \left(\dfrac{\boxed{20}}{24}, \dfrac{\boxed{21}}{24}\right)$ $\left(\dfrac{5}{12}, \dfrac{3}{8}\right) \Rightarrow \left(\dfrac{\boxed{10}}{24}, \dfrac{\boxed{9}}{24}\right)$

$\left(\dfrac{3}{10}, \dfrac{2}{15}\right) \Rightarrow \left(\dfrac{\boxed{9}}{30}, \dfrac{\boxed{4}}{30}\right)$ $\left(\dfrac{2}{9}, \dfrac{5}{12}\right) \Rightarrow \left(\dfrac{\boxed{8}}{36}, \dfrac{\boxed{15}}{36}\right)$

$\left(\dfrac{8}{14}, \dfrac{4}{21}\right) \Rightarrow \left(\dfrac{\boxed{24}}{42}, \dfrac{\boxed{8}}{42}\right)$ $\left(\dfrac{11}{15}, \dfrac{7}{9}\right) \Rightarrow \left(\dfrac{\boxed{33}}{45}, \dfrac{\boxed{35}}{45}\right)$

34 공통분모 찾기

■ 두 분수의 공통분모가 될 수 있는 수를 가장 작은 수부터 차례로 5개씩 써 보세요.

$\dfrac{2}{3}$ $\dfrac{7}{9}$ (9 , 18 , 27 , 36 , 45)

공통분모 중 가장 작은 수는 두 분모의 최소공배수입니다.

$\dfrac{1}{2}$ $\dfrac{4}{7}$ (14 , 28 , 42 , 56 , 70)

$\dfrac{5}{6}$ $\dfrac{1}{4}$ (12 , 24 , 36 , 48 , 60)

$\dfrac{3}{4}$ $\dfrac{1}{10}$ (20 , 40 , 60 , 80 , 100)

$\dfrac{5}{12}$ $\dfrac{3}{8}$ (24 , 48 , 72 , 96 , 120)

■ 두 분수를 통분했습니다. 빈칸에 알맞은 수를 써넣으세요.

$\left(\dfrac{2}{5}, \dfrac{1}{6}\right) \Rightarrow \left(\dfrac{\boxed{12}}{30}, \dfrac{5}{30}\right)$ $\left(\dfrac{1}{4}, \dfrac{3}{8}\right) \Rightarrow \left(\dfrac{4}{16}, \dfrac{\boxed{6}}{16}\right)$

30을 공통분모로 하여 통분합니다.

$\left(\dfrac{5}{6}, \dfrac{1}{8}\right) \Rightarrow \left(\dfrac{\boxed{40}}{48}, \dfrac{\boxed{6}}{48}\right)$ $\left(\dfrac{4}{5}, \dfrac{7}{15}\right) \Rightarrow \left(\dfrac{\boxed{24}}{30}, \dfrac{\boxed{14}}{30}\right)$

$\left(\dfrac{3}{4}, \dfrac{5}{6}\right) \Rightarrow \left(\dfrac{\boxed{27}}{36}, \dfrac{\boxed{30}}{36}\right)$ $\left(\dfrac{5}{8}, \dfrac{7}{12}\right) \Rightarrow \left(\dfrac{\boxed{30}}{48}, \dfrac{\boxed{28}}{48}\right)$

$\left(\dfrac{1}{3}, \dfrac{1}{6}\right) \Rightarrow \left(\dfrac{6}{18}, \dfrac{\boxed{3}}{18}\right)$ $\left(\dfrac{3}{10}, \dfrac{4}{15}\right) \Rightarrow \left(\dfrac{18}{60}, \dfrac{\boxed{16}}{60}\right)$

$\left(\dfrac{3}{8}, \dfrac{7}{10}\right) \Rightarrow \left(\dfrac{\boxed{15}}{40}, \dfrac{28}{40}\right)$ $\left(\dfrac{2}{7}, \dfrac{4}{21}\right) \Rightarrow \left(\dfrac{\boxed{12}}{42}, \dfrac{8}{42}\right)$

35 분수의 크기 비교

■ 두 분수를 통분하고, ○ 안에 >, =, <를 알맞게 써넣으세요.

$\left(\dfrac{1}{2}, \dfrac{3}{7}\right) \rightarrow \left(\boxed{\dfrac{7}{14}}, \boxed{\dfrac{6}{14}}\right)$ $\dfrac{1}{2} \bigcirc\!\!> \dfrac{3}{7}$

분모가 같은 분수는 분자가 클수록 더 큰 수입니다.

$\left(\dfrac{2}{3}, \dfrac{3}{4}\right) \rightarrow \left(\boxed{\dfrac{8}{12}}, \boxed{\dfrac{9}{12}}\right)$ $\dfrac{2}{3} \bigcirc\!\!< \dfrac{3}{4}$

$\left(\dfrac{9}{16}, \dfrac{7}{12}\right) \rightarrow \left(\boxed{\dfrac{27}{48}}, \boxed{\dfrac{28}{48}}\right)$ $\dfrac{9}{16} \bigcirc\!\!< \dfrac{7}{12}$

여러 가지 방법으로 통분할 수 있습니다. 공통분모로 통분하면 정답입니다.

$\dfrac{3}{5} \bigcirc\!\!= \dfrac{9}{15}$ $\dfrac{5}{6} \bigcirc\!\!> \dfrac{3}{4}$ $\dfrac{7}{8} \bigcirc\!\!< \dfrac{8}{9}$
$=\dfrac{9}{15}$ $=\dfrac{10}{12}$ $=\dfrac{9}{12}$ $=\dfrac{63}{72}$ $=\dfrac{64}{72}$

$\dfrac{7}{12} \bigcirc\!\!< \dfrac{7}{9}$ $\dfrac{12}{42}=\dfrac{6}{21} \bigcirc\!\!= \dfrac{4}{14}=\dfrac{12}{42}$ $1\dfrac{7}{20} \bigcirc\!\!> 1\dfrac{4}{15}$
$=\dfrac{21}{36}$ $=\dfrac{28}{36}$ 또는 $=\dfrac{2}{7}$ 약분하여 $\dfrac{2}{7}$ $=1\dfrac{21}{60}$ $=1\dfrac{16}{60}$

■ 분수의 크기를 비교하여 ○ 안에 >, <를 써넣고, 큰 분수부터 차례로 써 보세요.

$\dfrac{1}{2}$ $\dfrac{3}{4}$ $\dfrac{5}{8}$ — $\dfrac{1}{2} \bigcirc\!\!< \dfrac{3}{4}$ $\dfrac{3}{4} \bigcirc\!\!> \dfrac{5}{8}$ $\dfrac{1}{2} \bigcirc\!\!< \dfrac{5}{8}$

분수의 2배가 분모보다 크면 절반보다 큰 분수입니다.

절반보다 큰 분수와 절반보다 작은 분수로 나누면 $\left(\dfrac{3}{4}, \dfrac{5}{8}, \dfrac{1}{2}\right)$
크기를 비교하기 편리합니다.

$\dfrac{3}{4}$ $\dfrac{4}{5}$ $\dfrac{5}{6}$ — $\dfrac{3}{4} \bigcirc\!\!< \dfrac{4}{5}$ $\dfrac{4}{5} \bigcirc\!\!< \dfrac{5}{6}$ $\dfrac{3}{4} \bigcirc\!\!< \dfrac{5}{6}$

분자가 분모보다 1 더 작은 분수는 분모가 클수록 더 큰 분수입니다.

분자가 분모보다 1 더 작은 분수(분자와 분모의 차가 $\left(\dfrac{5}{6}, \dfrac{4}{5}, \dfrac{3}{4}\right)$
같은 진분수)는 분모가 클수록 더 큰 분수입니다.

$\dfrac{2}{5}$ $\dfrac{3}{8}$ $\dfrac{3}{10}$ — $\dfrac{2}{5} \bigcirc\!\!> \dfrac{3}{8}$ $\dfrac{3}{8} \bigcirc\!\!> \dfrac{3}{10}$ $\dfrac{2}{5} \bigcirc\!\!> \dfrac{3}{10}$

분자가 같은 분수는 분모가 작을수록 $\left(\dfrac{2}{5}, \dfrac{3}{8}, \dfrac{3}{10}\right)$
더 큰 분수입니다.

$\dfrac{2}{3}$ $\dfrac{3}{7}$ $\dfrac{5}{9}$ — $\dfrac{2}{3} \bigcirc\!\!> \dfrac{3}{7}$ $\dfrac{3}{7} \bigcirc\!\!< \dfrac{5}{9}$ $\dfrac{2}{3} \bigcirc\!\!> \dfrac{5}{9}$

$\left(\dfrac{2}{3}, \dfrac{5}{9}, \dfrac{3}{7}\right)$

■ 수 카드 중 2장으로 진분수를 만들려고 합니다. 만들 수 있는 진분수 중 가장 큰 수를 만들어 보세요.

| 2 | 3 | 5 | $\left(\dfrac{2}{3}\right)$

절반보다 큰 분수 중에서 찾아봅니다.
$\dfrac{2}{3} > \dfrac{3}{5}$

| 2 | 5 | 7 | $\left(\dfrac{5}{7}\right)$

| 4 | 5 | 9 | $\left(\dfrac{4}{5}\right)$
$\dfrac{4}{5} > \dfrac{5}{9}$

| 1 | 3 | 8 | $\left(\dfrac{3}{8}\right)$
$\dfrac{1}{3} < \dfrac{3}{8}$

| 1 | 2 | 3 | 4 | $\left(\dfrac{3}{4}\right)$
$\dfrac{2}{3} < \dfrac{3}{4}$

| 1 | 5 | 6 | 9 | $\left(\dfrac{5}{6}\right)$
$\dfrac{5}{6} > \dfrac{6}{9}$

| 2 | 3 | 7 | 9 | $\left(\dfrac{7}{9}\right)$
$\dfrac{2}{3} < \dfrac{7}{9}$

| 2 | 4 | 5 | 8 | $\left(\dfrac{4}{5}\right)$
$\dfrac{4}{5} > \dfrac{5}{8}$

32·33쪽

36 진분수 덧셈 (1)

■ 아래와 같이 분모의 곱을 공통분모로 하여 통분한 후 계산해 보세요. (계산 결과를 약분할 수 있으면 기약분수로 나타냅니다.)

$$\frac{1}{2}+\frac{1}{3}=\frac{1\times3}{2\times3}+\frac{1\times2}{3\times2}=\frac{3}{6}+\frac{2}{6}=\frac{5}{6}$$

$$\frac{3}{4}+\frac{1}{6}=\frac{3\times\boxed{6}}{4\times\boxed{6}}+\frac{1\times\boxed{4}}{6\times\boxed{4}}=\frac{\boxed{18}}{24}+\frac{\boxed{4}}{24}=\frac{22}{24}^{\frac{11}{12}}=\frac{\boxed{11}}{12}$$

계산 결과를 약분할 수 있으면 기약분수로 나타냅니다.

$$\frac{2}{9}+\frac{3}{5}=\frac{2\times\boxed{5}}{9\times\boxed{5}}+\frac{3\times\boxed{9}}{5\times\boxed{9}}=\frac{\boxed{10}}{45}+\frac{\boxed{27}}{45}=\frac{\boxed{37}}{45}$$

$$\frac{2}{5}+\frac{1}{2}=\frac{2\times2}{5\times2}+\frac{1\times5}{2\times5}=\frac{4}{10}+\frac{5}{10}=\frac{9}{10}$$

$$\frac{1}{6}+\frac{3}{8}=\frac{1\times8}{6\times8}+\frac{3\times6}{8\times6}=\frac{8}{48}+\frac{18}{48}=\frac{26}{48}^{\frac{13}{24}}=\frac{13}{24}$$

■ 아래와 같이 분모의 최소공배수를 공통분모로 하여 통분한 후 계산해 보세요. (계산 결과를 약분할 수 있으면 기약분수로 나타냅니다.)

$$\frac{1}{4}+\frac{1}{6}=\frac{1\times3}{4\times3}+\frac{1\times2}{6\times2}=\frac{3}{12}+\frac{2}{12}=\frac{5}{12}$$

$$\frac{4}{7}+\frac{3}{14}=\frac{4\times\boxed{2}}{7\times\boxed{2}}+\frac{3}{14}=\frac{\boxed{8}}{14}+\frac{3}{14}=\frac{\boxed{11}}{14}$$

$$\frac{1}{8}+\frac{5}{12}=\frac{1\times\boxed{3}}{8\times\boxed{3}}+\frac{5\times\boxed{2}}{12\times\boxed{2}}=\frac{\boxed{3}}{24}+\frac{\boxed{10}}{24}=\frac{\boxed{13}}{24}$$

$$\frac{3}{5}+\frac{4}{15}=\frac{3\times3}{5\times3}+\frac{4}{15}=\frac{9}{15}+\frac{4}{15}=\frac{13}{15}$$

$$\frac{4}{9}+\frac{1}{6}=\frac{4\times2}{9\times2}+\frac{1\times3}{6\times3}=\frac{8}{18}+\frac{3}{18}=\frac{11}{18}$$

34·35쪽

37 진분수 덧셈 (2)

■ 아래와 같이 분모의 곱을 공통분모로 하여 통분한 후 계산해 보세요. (계산 결과가 가분수이면 대분수로 나타내고, 약분할 수 있으면 기약분수로 나타냅니다.)

$$\frac{1}{2}+\frac{2}{3}=\frac{1\times3}{2\times3}+\frac{2\times2}{3\times2}=\frac{3}{6}+\frac{4}{6}=\frac{7}{6}=1\frac{1}{6}$$

계산 결과가 가분수이면 대분수로 나타냅니다.

$$\frac{2}{3}+\frac{3}{5}=\frac{2\times\boxed{5}}{3\times\boxed{5}}+\frac{3\times\boxed{3}}{5\times\boxed{3}}=\frac{\boxed{10}}{15}+\frac{\boxed{9}}{15}=\frac{\boxed{19}}{15}=\boxed{1}\frac{\boxed{4}}{15}$$

$$\frac{3}{4}+\frac{5}{8}=\frac{3\times\boxed{8}}{4\times\boxed{8}}+\frac{5\times\boxed{4}}{8\times\boxed{4}}=\frac{\boxed{24}}{32}+\frac{\boxed{20}}{32}=\frac{\boxed{44}}{32}$$
$$=\boxed{1}\frac{\boxed{12}}{32}=\boxed{1}\frac{\boxed{3}}{8}$$

$$\frac{4}{5}+\frac{3}{10}=\frac{4\times10}{5\times10}+\frac{3\times5}{10\times5}=\frac{40}{50}+\frac{15}{50}=\frac{55}{50}=1\frac{5}{50}^{\frac{1}{10}}=1\frac{1}{10}$$
$$또는=\frac{55}{50}^{\frac{11}{10}}=\frac{11}{10}=1\frac{1}{10}$$

약분을 한 후 대분수로 바꾸어도 됩니다.

■ 아래와 같이 분모의 최소공배수를 공통분모로 하여 통분한 후 계산해 보세요. (계산 결과가 가분수이면 대분수로 나타내고, 약분할 수 있으면 기약분수로 나타냅니다.)

$$\frac{3}{4}+\frac{5}{6}=\frac{3\times3}{4\times3}+\frac{5\times2}{6\times2}=\frac{9}{12}+\frac{10}{12}=\frac{19}{12}=1\frac{7}{12}$$

$$\frac{1}{2}+\frac{5}{6}=\frac{1\times\boxed{3}}{2\times\boxed{3}}+\frac{5}{6}=\frac{\boxed{3}}{6}+\frac{5}{6}=\frac{\boxed{8}}{6}=1\frac{\boxed{2}}{6}=1\frac{1}{3}$$

$$\frac{5}{9}+\frac{7}{12}=\frac{5\times\boxed{4}}{9\times\boxed{4}}+\frac{7\times\boxed{3}}{12\times\boxed{3}}=\frac{\boxed{20}}{36}+\frac{\boxed{21}}{36}=\frac{\boxed{41}}{36}=1\frac{\boxed{5}}{36}$$

$$\frac{3}{8}+\frac{5}{6}=\frac{3\times3}{8\times3}+\frac{5\times4}{6\times4}=\frac{9}{24}+\frac{20}{24}=\frac{29}{24}=1\frac{5}{24}$$

$$\frac{7}{8}+\frac{7}{10}=\frac{7\times5}{8\times5}+\frac{7\times4}{10\times4}=\frac{35}{40}+\frac{28}{40}=\frac{63}{40}=1\frac{23}{40}$$

38 대분수 덧셈

■ 아래와 같이 통분한 후 자연수는 자연수끼리, 분수는 분수끼리 더해서 계산해 보세요.
(계산 결과가 가분수이면 대분수로 나타내고, 약분할 수 있으면 기약분수로 나타냅니다.)

$1\frac{1}{2}+1\frac{4}{5}=1\frac{5}{10}+1\frac{8}{10}=(1+1)+(\frac{5}{10}+\frac{8}{10})=2+\frac{13}{10}=2+1\frac{3}{10}=3\frac{3}{10}$

자연수끼리, 분수끼리 계산하면 분수 부분의 계산이 편리하고,
대분수를 가분수로 나타내어 계산하면 자연수 부분과 분수 부분을 따로 떼어 계산하지 않아도 되므로 편리합니다. 두 방법 중 자신에게 더 편리한 방법으로 계산합니다.

$1\frac{1}{6}+2\frac{5}{9}=1\frac{\boxed{3}}{18}+2\frac{\boxed{10}}{18}=(1+2)+(\frac{\boxed{3}}{18}+\frac{\boxed{10}}{18})$

6과 9의 최소공배수인 18을 공통분모로 하여 통분합니다.

$=\boxed{3}+\frac{\boxed{13}}{18}=\boxed{3}\frac{\boxed{13}}{18}$

$2\frac{1}{3}+1\frac{8}{9}=2\frac{\boxed{3}}{9}+1\frac{8}{9}=(2+1)+(\frac{\boxed{3}}{9}+\frac{8}{9})=\boxed{3}+\frac{\boxed{11}}{9}$

$=\boxed{3}+1\frac{\boxed{2}}{9}=\boxed{4}\frac{\boxed{2}}{9}$

$1\frac{3}{4}+3\frac{2}{3}=1\frac{9}{12}+3\frac{8}{12}=(1+3)+(\frac{9}{12}+\frac{8}{12})=4+\frac{17}{12}$

$=4+1\frac{5}{12}=5\frac{5}{12}$

■ 아래와 같이 대분수를 가분수로 나타낸 후 통분하여 계산해 보세요. (계산 결과가 가분수이면 대분수로 나타내고, 약분할 수 있으면 기약분수로 나타냅니다.)

$1\frac{1}{2}+1\frac{4}{5}=\frac{3}{2}+\frac{9}{5}=\frac{15}{10}+\frac{18}{10}=\frac{33}{10}=3\frac{3}{10}$

$2\frac{1}{4}+3\frac{5}{6}=\frac{\boxed{9}}{4}+\frac{\boxed{23}}{6}=\frac{\boxed{27}}{12}+\frac{\boxed{46}}{12}=\frac{\boxed{73}}{12}=\boxed{6}\frac{\boxed{1}}{12}$

$3\frac{2}{5}+1\frac{9}{10}=\frac{\boxed{17}}{5}+\frac{\boxed{19}}{10}=\frac{\boxed{34}}{10}+\frac{\boxed{19}}{10}=\frac{\boxed{53}}{10}=\boxed{5}\frac{\boxed{3}}{10}$

$1\frac{5}{6}+2\frac{1}{2}=\frac{11}{6}+\frac{5}{2}=\frac{11}{6}+\frac{15}{6}=\overset{1}{\underset{3}{\frac{26}{6}}}=4\frac{\overset{1}{\underset{3}{2}}}{6}=4\frac{1}{3}$

또는 $=\frac{\overset{13}{\cancel{26}}}{\underset{3}{\cancel{6}}}=\frac{13}{3}=4\frac{1}{3}$ 약분을 한 후 대분수로 바꾸어도 됩니다.

$2\frac{3}{8}+1\frac{5}{12}=\frac{19}{8}+\frac{17}{12}=\frac{57}{24}+\frac{34}{24}=\frac{91}{24}=3\frac{19}{24}$

39 두 분수의 합

■ 관계 있는 것끼리 이어 보세요.

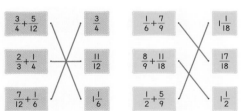

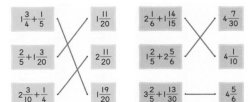

■ 계산해 보세요. (가분수는 대분수로 나타내고, 약분할 수 있으면 기약분수로 나타냅니다.)

$\frac{1}{3}+\frac{1}{4}=\frac{7}{12}$

$\frac{3}{4}+\frac{1}{10}=\frac{17}{20}$

$\frac{2}{5}+\frac{4}{15}=\frac{2}{3}$

$\frac{1}{6}+\frac{5}{8}=\frac{19}{24}$

$\frac{2}{3}+\frac{5}{6}=1\frac{1}{2}$

$\frac{3}{5}+\frac{4}{7}=1\frac{6}{35}$

$\frac{3}{8}+\frac{7}{10}=1\frac{3}{40}$

$\frac{5}{12}+\frac{8}{9}=1\frac{11}{36}$

$2\frac{2}{7}+\frac{3}{14}=2\frac{1}{2}$

$\frac{4}{5}+3\frac{1}{3}=4\frac{2}{15}$

$3\frac{3}{8}+1\frac{1}{2}=4\frac{7}{8}$

$1\frac{2}{3}+1\frac{4}{9}=3\frac{1}{9}$

$1\frac{1}{4}+2\frac{3}{5}=3\frac{17}{20}$

$2\frac{5}{7}+3\frac{3}{4}=6\frac{13}{28}$

정답 **9**

40·41쪽

40 이야기하기

■ 물음에 답하세요. (가분수는 대분수로 나타내고, 약분할 수 있으면 기약분수로 나타냅니다.)

유진이는 동화책을 어제 전체의 $\frac{1}{4}$을 읽었고, 오늘 전체의 $\frac{3}{8}$을 읽었습니다. 유진이가 어제와 오늘 읽은 동화책의 양은 전체의 얼마일까요?

식 $\frac{1}{4}+\frac{3}{8}=\frac{5}{8}$ 답 $\frac{5}{8}$

예서는 $\frac{5}{6}$시간 동안 버스를 타고, $\frac{3}{10}$시간 동안 걸어서 할머니 댁에 도착했습니다. 예서가 할머니 댁에 도착하기까지 걸린 시간은 몇 시간일까요?

식 $\frac{5}{6}+\frac{3}{10}=1\frac{2}{15}$ 답 $1\frac{2}{15}$ 시간

진욱이는 사과를 $1\frac{2}{3}$개 먹었고, 두호는 진욱이보다 $1\frac{1}{4}$개 더 많이 먹었습니다. 두호가 먹은 사과는 몇 개일까요?

식 $1\frac{2}{3}+1\frac{1}{4}=2\frac{11}{12}$ 답 $2\frac{11}{12}$ 개

민규는 귤을 $2\frac{7}{8}$kg, 민서는 $3\frac{5}{12}$kg을 땄습니다. 두 사람이 딴 귤은 모두 몇 kg일까요?

식 $2\frac{7}{8}+3\frac{5}{12}=6\frac{7}{24}$ 답 $6\frac{7}{24}$ kg

■ 물음에 답하세요. (가분수는 대분수로 나타내고, 약분할 수 있으면 기약분수로 나타냅니다.)

승아가 만든 매실 음료는 몇 L일까요?

① 승아는 컵에 매실 원액 $\frac{1}{9}$L를 넣었습니다.
② 매실 원액을 담은 컵에 물 $\frac{2}{3}$L를 넣고 잘 저었습니다.

$\frac{1}{9}+\frac{2}{3}=\frac{1}{9}+\frac{6}{9}=\frac{7}{9}$(L)

($\frac{7}{9}$ L)

은혁이가 상자를 포장하는 데 사용한 끈은 모두 몇 m일까요?

① 은혁이는 노란색 끈 $\frac{5}{6}$m로 상자를 묶었습니다.
② 빨간색 끈 $\frac{4}{9}$m로 리본을 만들어 상자에 붙였습니다.

$\frac{5}{6}+\frac{4}{9}=\frac{15}{18}+\frac{8}{18}=\frac{23}{18}=1\frac{5}{18}$(m)

($1\frac{5}{18}$ m)

진영이가 밥을 짓는 데 넣은 쌀과 보리는 모두 몇 컵일까요?

① 진영이는 그릇에 쌀 $3\frac{2}{5}$컵을 담았습니다.
② 그릇에 보리 $1\frac{3}{10}$컵을 더 담고 씻어서 밥을 지었습니다.

$3\frac{2}{5}+1\frac{3}{10}=3\frac{4}{10}+1\frac{3}{10}=4\frac{7}{10}$(컵)

($4\frac{7}{10}$ 컵)

42쪽

■ 집, 공원, 학교, 도서관 사이의 거리입니다. 물음에 답하세요. (가분수는 대분수로 나타내고, 약분할 수 있으면 기약분수로 나타냅니다.)

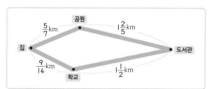

학교에서 집을 지나 공원까지 가는 거리는 몇 km일까요?

$\frac{9}{14}+\frac{5}{7}=\frac{9}{14}+\frac{10}{14}=\frac{19}{14}=1\frac{5}{14}$(km)

($1\frac{5}{14}$ km)

집에서 학교를 지나 도서관까지 가는 거리는 몇 km일까요?

$\frac{9}{14}+1\frac{1}{2}=\frac{9}{14}+\frac{3}{2}=\frac{9}{14}+\frac{21}{14}=\frac{30}{14}$

$=2\frac{2}{14}=2\frac{1}{7}$(km)

($2\frac{1}{7}$ km)

학교에서 도서관을 지나 공원까지 가는 거리는 km일까요?

$1\frac{1}{2}+1\frac{2}{5}=1\frac{5}{10}+1\frac{4}{10}=2\frac{9}{10}$

($2\frac{9}{10}$ km)

41 진분수 뺄셈

■ 아래와 같이 분모의 곱을 공통분모로 하여 통분한 후 계산해 보세요. (계산 결과를 약분할 수 있으면 기약분수로 나타냅니다.)

$$\frac{1}{2} - \frac{1}{3} = \frac{1\times3}{2\times3} - \frac{1\times2}{3\times2} = \frac{3}{6} - \frac{2}{6} = \frac{1}{6}$$

$$\frac{5}{6} - \frac{2}{3} = \frac{5\times\boxed{3}}{6\times\boxed{3}} - \frac{2\times\boxed{6}}{3\times\boxed{6}} = \frac{\boxed{15}}{18} - \frac{\boxed{12}}{18} = \frac{3}{18} = \frac{\boxed{1}}{6}$$

 계산 결과를 약분할 수 있으면 기약분수로 나타냅니다.

$$\frac{3}{5} - \frac{1}{2} = \frac{3\times\boxed{2}}{5\times\boxed{2}} - \frac{1\times\boxed{5}}{2\times\boxed{5}} = \frac{\boxed{6}}{10} - \frac{\boxed{5}}{10} = \frac{\boxed{1}}{10}$$

$$\frac{5}{7} - \frac{2}{5} = \frac{5\times5}{7\times5} - \frac{2\times7}{5\times7} = \frac{25}{35} - \frac{14}{35} = \frac{11}{35}$$

$$\frac{7}{10} - \frac{1}{4} = \frac{7\times4}{10\times4} - \frac{1\times10}{4\times10} = \frac{28}{40} - \frac{10}{40} = \frac{18}{40} = \frac{9}{20}$$

■ 아래와 같이 분모의 최소공배수를 공통분모로 하여 통분한 후 계산해 보세요. (계산 결과를 약분할 수 있으면 기약분수로 나타냅니다.)

$$\frac{3}{4} - \frac{1}{6} = \frac{3\times3}{4\times3} - \frac{1\times2}{6\times2} = \frac{9}{12} - \frac{2}{12} = \frac{7}{12}$$

$$\frac{4}{5} - \frac{3}{10} = \frac{4\times\boxed{2}}{5\times\boxed{2}} - \frac{3}{10} = \frac{\boxed{8}}{10} - \frac{\boxed{3}}{10} = \frac{5}{10} = \frac{\boxed{1}}{2}$$

$$\frac{4}{9} - \frac{1}{12} = \frac{4\times\boxed{4}}{9\times\boxed{4}} - \frac{1\times\boxed{3}}{12\times\boxed{3}} = \frac{\boxed{16}}{36} - \frac{\boxed{3}}{36} = \frac{\boxed{13}}{36}$$

$$\frac{16}{21} - \frac{2}{7} = \frac{16}{21} - \frac{2\times3}{7\times3} = \frac{16}{21} - \frac{6}{21} = \frac{10}{21}$$

$$\frac{13}{15} - \frac{4}{9} = \frac{13\times3}{15\times3} - \frac{4\times5}{9\times5} = \frac{39}{45} - \frac{20}{45} = \frac{19}{45}$$

42 대분수 뺄셈 (1)

■ 아래와 같이 통분한 후 자연수는 자연수끼리, 분수는 분수끼리 빼서 계산해 보세요. (계산 결과가 가분수이면 대분수로 나타내고, 약분할 수 있으면 기약분수로 나타냅니다.)

$$2\frac{3}{5} - 1\frac{1}{3} = 2\frac{9}{15} - 1\frac{5}{15} = (2-1) + \left(\frac{9}{15} - \frac{5}{15}\right) = 1 + \frac{4}{15} = 1\frac{4}{15}$$

$$1\frac{5}{8} - 1\frac{1}{12} = 1\frac{\boxed{15}}{24} - 1\frac{\boxed{2}}{24} = (1-1) + \left(\frac{\boxed{15}}{24} - \frac{\boxed{2}}{24}\right) = \frac{\boxed{13}}{24}$$

 8과 12의 최소공배수인 24를 공통분모로 하여 통분합니다.

$$3\frac{3}{4} - 1\frac{2}{3} = 3\frac{\boxed{9}}{12} - 1\frac{\boxed{8}}{12} = (3-\boxed{1}) + \left(\frac{\boxed{9}}{12} - \frac{\boxed{8}}{12}\right)$$
$$= \boxed{2} + \frac{\boxed{1}}{12} = \boxed{2}\frac{\boxed{1}}{12}$$

$$4\frac{6}{7} - 2\frac{1}{2} = 4\frac{12}{14} - 2\frac{7}{14} = (4-2) + \left(\frac{12}{14} - \frac{7}{14}\right) = 2 + \frac{5}{14} = 2\frac{5}{14}$$

$$2\frac{17}{20} - 2\frac{3}{8} = 2\frac{34}{40} - 2\frac{15}{40} = (2-2) + \left(\frac{34}{40} - \frac{15}{40}\right) = \frac{19}{40}$$

■ 아래와 같이 대분수를 가분수로 나타낸 후 통분하여 계산해 보세요. (계산 결과가 가분수이면 대분수로 나타내고, 약분할 수 있으면 기약분수로 나타냅니다.)

$$2\frac{3}{5} - 1\frac{1}{3} = \frac{13}{5} - \frac{4}{3} = \frac{39}{15} - \frac{20}{15} = \frac{19}{15} = 1\frac{4}{15}$$

$$3\frac{4}{5} - 1\frac{4}{15} = \frac{\boxed{19}}{5} - \frac{\boxed{19}}{15} = \frac{\boxed{57}}{15} - \frac{\boxed{19}}{15} = \frac{\boxed{38}}{15} = 2\frac{\boxed{8}}{15}$$

$$2\frac{5}{6} - 1\frac{1}{8} = \frac{\boxed{17}}{6} - \frac{\boxed{9}}{8} = \frac{\boxed{68}}{24} - \frac{\boxed{27}}{24} = \frac{\boxed{41}}{24} = 1\frac{\boxed{17}}{24}$$

$$4\frac{1}{2} - 2\frac{2}{9} = \frac{9}{2} - \frac{20}{9} = \frac{81}{18} - \frac{40}{18} = \frac{41}{18} = 2\frac{5}{18}$$

$$3\frac{3}{10} - 2\frac{1}{4} = \frac{33}{10} - \frac{9}{4} = \frac{66}{20} - \frac{45}{20} = \frac{21}{20} = 1\frac{1}{20}$$

43 대분수 뺄셈 (2)

■ 아래와 같이 통분한 후 자연수는 자연수끼리, 분수는 분수끼리 빼서 계산해 보세요.
(계산 결과가 가분수이면 대분수로 나타내고, 약분할 수 있으면 기약분수로 나타냅니다.)

$3\frac{1}{2}-1\frac{4}{5}=3\frac{5}{10}-1\frac{8}{10}=2\frac{15}{10}-1\frac{8}{10}=(2-1)+(\frac{15}{10}-\frac{8}{10})=1+\frac{7}{10}=1\frac{7}{10}$

분수 부분끼리 뺄 수 없으면 자연수 부분의 1을 분수로 바꿉니다.

$2\frac{3}{8}-1\frac{3}{4}=2\frac{3}{8}-1\frac{\boxed{6}}{8}=1\frac{\boxed{11}}{8}-1\frac{\boxed{6}}{8}$

$2\frac{3}{8}=2+\frac{3}{8}=1+1+\frac{3}{8}=1+\frac{8}{8}+\frac{3}{8}=1+\frac{11}{8}$

$=(1-1)+(\frac{\boxed{11}}{8}-\frac{\boxed{6}}{8})=\frac{\boxed{5}}{8}$

$4\frac{1}{9}-2\frac{5}{6}=4\frac{\boxed{2}}{18}-2\frac{\boxed{15}}{18}=3\frac{\boxed{20}}{18}-2\frac{\boxed{15}}{18}$

$=(3-\boxed{2})+(\frac{\boxed{20}}{18}-\frac{\boxed{15}}{18})=\boxed{1}+\frac{\boxed{5}}{18}=\boxed{1}\frac{5}{18}$

$5\frac{2}{7}-3\frac{8}{14}=5\frac{4}{14}-3\frac{8}{14}=4\frac{18}{14}-3\frac{8}{14}$

$=(4-3)+(\frac{18}{14}-\frac{8}{14})=1+\frac{10}{14}=1\frac{\overset{5}{\cancel{10}}}{\underset{7}{\cancel{14}}}=1\frac{5}{7}$

■ 아래와 같이 대분수를 가분수로 나타낸 후 통분하여 계산해 보세요. (계산 결과가 가분수이면 대분수로 나타내고, 약분할 수 있으면 기약분수로 나타냅니다.)

$3\frac{1}{2}-1\frac{4}{5}=\frac{7}{2}-\frac{9}{5}=\frac{35}{10}-\frac{18}{10}=\frac{17}{10}=1\frac{7}{10}$

$4\frac{1}{3}-2\frac{1}{2}=\frac{\boxed{13}}{3}-\frac{\boxed{5}}{2}=\frac{\boxed{26}}{6}-\frac{\boxed{15}}{6}=\frac{\boxed{11}}{6}=\boxed{1}\frac{\boxed{5}}{6}$

$3\frac{3}{4}-1\frac{5}{6}=\frac{\boxed{15}}{4}-\frac{\boxed{11}}{6}=\frac{\boxed{45}}{12}-\frac{\boxed{22}}{12}=\frac{\boxed{23}}{12}=\boxed{1}\frac{\boxed{11}}{12}$

$4\frac{2}{9}-1\frac{2}{3}=\frac{38}{9}-\frac{5}{3}=\frac{38}{9}-\frac{15}{9}=\frac{23}{9}=2\frac{5}{9}$

$3\frac{1}{5}-2\frac{3}{4}=\frac{16}{5}-\frac{11}{4}=\frac{64}{20}-\frac{55}{20}=\frac{9}{20}$

44 두 분수의 차

■ 계산이 처음으로 잘못된 부분을 찾아 ○표 하고, 바르게 고쳐 계산해 보세요.

$\frac{11}{12}-\frac{3}{20}=\frac{11\times3}{12\times5}-\frac{3\times5}{20\times3}=\frac{33}{60}-\frac{15}{60}=\frac{18}{60}=\frac{3}{10}$

$\frac{11}{12}-\frac{3}{20}=\frac{11\times5}{12\times5}-\frac{3\times3}{20\times3}=\frac{55}{60}-\frac{9}{60}=\frac{\overset{23}{\cancel{46}}}{\underset{30}{\cancel{60}}}=\frac{23}{30}$

$6\frac{3}{8}-2\frac{3}{4}=6\frac{3}{8}-2\frac{6}{8}=5\frac{9}{8}-2\frac{6}{8}=(5-2)+(\frac{9}{8}-\frac{6}{8})=3+\frac{3}{8}=3\frac{3}{8}$

$6\frac{3}{8}-2\frac{3}{4}=6\frac{3}{8}-2\frac{6}{8}=5\frac{11}{8}-2\frac{6}{8}=(5-2)+(\frac{11}{8}-\frac{6}{8})$

$=3+\frac{5}{8}=3\frac{5}{8}$

$3\frac{5}{6}-\frac{2}{9}=\frac{23}{6}-\frac{2}{9}=\frac{23}{18}-\frac{2}{18}=\frac{21}{18}=1\frac{3}{18}=1\frac{1}{6}$

$3\frac{5}{6}-\frac{2}{9}=\frac{23}{6}-\frac{2}{9}=\frac{69}{18}-\frac{4}{18}=\frac{65}{18}=3\frac{11}{18}$

■ 계산해 보세요. (가분수는 대분수로 나타내고, 약분할 수 있으면 기약분수로 나타냅니다.)

$\frac{1}{2}-\frac{1}{6}=\frac{1}{3}$

$\frac{1}{3}-\frac{1}{4}=\frac{1}{12}$

$\frac{5}{6}-\frac{3}{8}=\frac{11}{24}$

$\frac{13}{14}-\frac{3}{4}=\frac{5}{28}$

$3\frac{6}{7}-1\frac{1}{2}=2\frac{5}{14}$

$2\frac{2}{3}-1\frac{4}{15}=1\frac{2}{5}$

$2\frac{4}{5}-2\frac{2}{7}=\frac{18}{35}$

$5\frac{7}{12}-2\frac{3}{8}=3\frac{5}{24}$

$2\frac{1}{6}-1\frac{1}{3}=\frac{5}{6}$

$4\frac{1}{3}-2\frac{3}{4}=1\frac{7}{12}$

$3\frac{2}{15}-1\frac{4}{5}=1\frac{1}{3}$

$3\frac{1}{4}-2\frac{5}{6}=\frac{5}{12}$

$2\frac{1}{10}-\frac{5}{6}=1\frac{4}{15}$

$4\frac{3}{5}-\frac{5}{8}=3\frac{39}{40}$

45 이야기하기

📖 물음에 답하세요. (가분수는 대분수로 나타내고, 약분할 수 있으면 기약분수로 나타냅니다.)

냉장고에 주스가 $\frac{9}{10}$L 있었습니다. 진영이가 $\frac{2}{5}$L를 마셨다면 남은 주스는 몇 L일까요?

식 $\frac{9}{10} - \frac{2}{5} = \frac{1}{2}$ 답 $\frac{1}{2}$ L

두호는 빈 물병에 물 $\frac{7}{9}$L를 담으려고 했다가 $\frac{1}{12}$L를 덜어 내고 담았습니다. 물병에 담긴 물은 몇 L일까요?

식 $\frac{7}{9} - \frac{1}{12} = \frac{25}{36}$ 답 $\frac{25}{36}$ L

선물을 포장하는 데 필요한 색종이는 $5\frac{2}{3}$장입니다. 지윤이가 가지고 있는 색종이는 $2\frac{1}{5}$장입니다. 색종이는 얼마나 더 필요할까요?

식 $5\frac{2}{3} - 2\frac{1}{5} = 3\frac{7}{15}$ 답 $3\frac{7}{15}$ 장

지수는 찰흙 $2\frac{1}{7}$kg, 예준이는 $1\frac{3}{4}$kg 가지고 있습니다. 지수는 예준이보다 찰흙을 얼마나 더 많이 가지고 있을까요?

식 $2\frac{1}{7} - 1\frac{3}{4} = \frac{11}{28}$ 답 $\frac{11}{28}$ kg

📖 물음에 답하세요. (가분수는 대분수로 나타내고, 약분할 수 있으면 기약분수로 나타냅니다.)

서진이는 등교를 하는 데 $\frac{3}{8}$시간, 유나는 $\frac{1}{6}$시간 걸립니다. 등교를 하는 데 누가 몇 시간 더 많이 걸릴까요?

$\frac{3}{8} = \frac{9}{24} > \frac{1}{6} = \frac{4}{24}$ (서진 , $\frac{5}{24}$시간)

$\frac{3}{8} - \frac{1}{6} = \frac{9}{24} - \frac{4}{24} = \frac{5}{24}$(시간)

민영이는 방울토마토를 $\frac{11}{15}$kg 땄고 지한이는 $\frac{7}{9}$kg 땄습니다. 방울토마토를 누가 몇 kg 더 많이 땄을까요?

$\frac{11}{15} = \frac{33}{45} < \frac{7}{9} = \frac{35}{45}$ (지한 , $\frac{2}{45}$kg)

$\frac{7}{9} - \frac{11}{15} = \frac{35}{45} - \frac{33}{45} = \frac{2}{45}$(kg)

멀리뛰기를 했습니다. 해수는 $2\frac{3}{4}$m, 진우는 $2\frac{7}{12}$m를 기록했습니다. 누가 몇 m 더 멀리 뛰었을까요?

$2\frac{3}{4} = 2\frac{9}{12} > 2\frac{7}{12}$ (해수 , $\frac{1}{6}$m)

$2\frac{3}{4} - 2\frac{7}{12} = 2\frac{9}{12} - 2\frac{7}{12} = \frac{2}{12} = \frac{1}{6}$(m)

냉장고의 높이는 $1\frac{2}{3}$m, 옷장의 높이는 $1\frac{9}{10}$m입니다. 냉장고와 옷장 중 어느 것이 몇 m 더 높을까요?

$1\frac{2}{3} = 1\frac{20}{30} < 1\frac{9}{10} = 1\frac{27}{30}$ (옷장 , $\frac{7}{30}$m)

$1\frac{9}{10} - 1\frac{2}{3} = 1\frac{27}{30} - 1\frac{20}{30} = \frac{7}{30}$(m)

📖 친구들이 마신 우유의 양입니다. 물음에 답하세요. (단, 우유 한 컵의 양은 같습니다.)

민규	예나	나은	상원
$\frac{13}{15}$컵	$1\frac{3}{4}$컵	$\frac{5}{6}$컵	$1\frac{3}{5}$컵

상원이는 민규보다 우유를 몇 컵 더 많이 마셨나요?

$1\frac{3}{5} - \frac{13}{15} = 1\frac{24}{15} - \frac{13}{15} = \frac{11}{15}$(컵)   ($\frac{11}{15}$컵)

예나와 상원이 중에서 우유를 누가 몇 컵 더 많이 마셨나요?

$1\frac{3}{4} = 1\frac{15}{20} > 1\frac{3}{5} = 1\frac{12}{20}$ (예나 , $\frac{3}{20}$컵)

$1\frac{3}{4} - 1\frac{3}{5} = 1\frac{15}{20} - 1\frac{12}{20} = \frac{3}{20}$(컵)

민규와 나은이 중에서 우유를 누가 몇 컵 더 많이 마셨나요?

$\frac{13}{15} = \frac{26}{30} > \frac{5}{6} = \frac{25}{30}$ (민규 , $\frac{1}{30}$컵)

$\frac{13}{15} - \frac{5}{6} = \frac{26}{30} - \frac{25}{30} = \frac{1}{30}$(컵)

56·57쪽

46 분수의 합과 차

월 일

두 분수의 합과 차를 구해 보세요. (가분수는 대분수로 나타내고, 약분할 수 있으면 기약분수로 나타냅니다.)

$\dfrac{2}{3}$ $\dfrac{5}{6}$

합 $1\dfrac{1}{2}$ 차 $\dfrac{1}{6}$

$\dfrac{7}{24}$ $\dfrac{3}{8}$

합 $\dfrac{2}{3}$ 차 $\dfrac{1}{12}$

$\dfrac{7}{9}$ $\dfrac{2}{5}$

합 $1\dfrac{8}{45}$ 차 $\dfrac{17}{45}$

$1\dfrac{2}{9}$ $1\dfrac{5}{12}$

합 $2\dfrac{23}{36}$ 차 $\dfrac{7}{36}$

$1\dfrac{4}{7}$ $3\dfrac{2}{3}$

합 $5\dfrac{5}{21}$ 차 $2\dfrac{2}{21}$

$3\dfrac{1}{10}$ $2\dfrac{5}{8}$

합 $5\dfrac{29}{40}$ 차 $\dfrac{19}{40}$

빈칸에 알맞은 수를 써넣으세요. (가분수는 대분수로 나타내고, 약분할 수 있으면 기약분수로 나타냅니다.)

$\dfrac{1}{2}$ $\dfrac{1}{4}$ $\dfrac{3}{4}$
$\dfrac{5}{12}$
$\dfrac{1}{12}$

$\dfrac{3}{5}$ $\dfrac{2}{3}$ $1\dfrac{4}{15}$
$\dfrac{3}{10}$
$\dfrac{3}{10}$

$1\dfrac{5}{7}$ $\dfrac{3}{14}$ $1\dfrac{13}{14}$
$\dfrac{1}{3}$
$1\dfrac{8}{21}$

$2\dfrac{4}{9}$ $\dfrac{5}{6}$ $3\dfrac{5}{18}$
$\dfrac{2}{3}$
$1\dfrac{7}{9}$

$3\dfrac{11}{12}$ $2\dfrac{3}{8}$ $6\dfrac{7}{24}$
$1\dfrac{5}{6}$
$2\dfrac{1}{12}$

$2\dfrac{1}{6}$ $3\dfrac{3}{8}$ $5\dfrac{13}{24}$
$1\dfrac{3}{4}$
$\dfrac{5}{12}$

58·59쪽

47 수 카드와 대분수

월 일

수 카드를 한 번씩만 사용하여 가장 작은 대분수를 만들고, 만든 대분수의 합을 구해 보세요. (계산 결과는 대분수로 나타내고, 약분할 수 있으면 기약분수로 나타냅니다.)

1 2 3 → $1\dfrac{2}{3}$
2 5 6 → $2\dfrac{5}{6}$ 합 $4\dfrac{1}{2}$

3 2 8 → $2\dfrac{3}{8}$
1 4 3 → $1\dfrac{3}{4}$ 합 $4\dfrac{1}{8}$

5 2 3 → $2\dfrac{3}{5}$
4 3 7 → $3\dfrac{4}{7}$ 합 $6\dfrac{6}{35}$

2 4 9 → $2\dfrac{4}{9}$
5 6 1 → $1\dfrac{5}{6}$ 합 $4\dfrac{5}{18}$

수 카드를 한 번씩만 사용하여 만들 수 있는 가장 큰 대분수와 가장 작은 대분수의 차를 구해 보세요. (계산 결과는 대분수로 나타내고, 약분할 수 있으면 기약분수로 나타냅니다.)

1 2 3
$3\dfrac{1}{2} - 1\dfrac{2}{3} = 1\dfrac{5}{6}$

2 3 5
$5\dfrac{2}{3} - 2\dfrac{3}{5} = 3\dfrac{1}{15}$

7 2 1
$7\dfrac{1}{2} - 1\dfrac{2}{7} = 6\dfrac{3}{14}$

3 8 1
$8\dfrac{1}{3} - 1\dfrac{3}{8} = 6\dfrac{23}{24}$

4 3 5
$5\dfrac{3}{4} - 3\dfrac{4}{5} = 1\dfrac{19}{20}$

4 3 7
$7\dfrac{3}{4} - 3\dfrac{4}{7} = 4\dfrac{5}{28}$

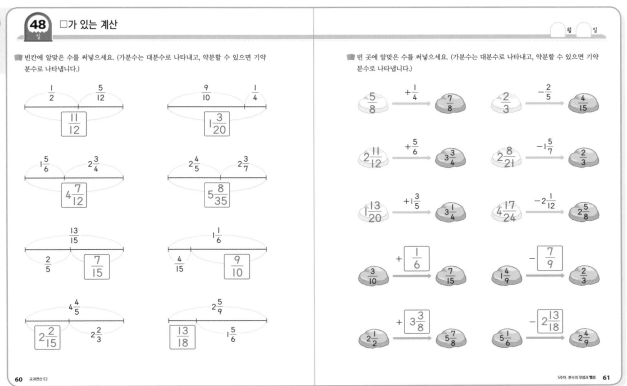

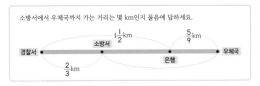

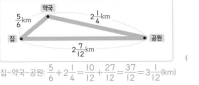

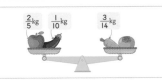

48 □가 있는 계산

빈칸에 알맞은 수를 써넣으세요. (가분수는 대분수로 나타내고, 약분할 수 있으면 기약분수로 나타냅니다.)

$\frac{1}{2}$ $\frac{5}{12}$ → $\frac{11}{12}$

$\frac{9}{10}$ $\frac{1}{4}$ → $1\frac{3}{20}$

$1\frac{5}{6}$ $2\frac{3}{4}$ → $4\frac{7}{12}$

$2\frac{4}{5}$ $2\frac{3}{7}$ → $5\frac{8}{35}$

$\frac{13}{15}$; $\frac{2}{5}$ $\boxed{\frac{7}{15}}$

$1\frac{1}{6}$; $\frac{4}{15}$ $\boxed{\frac{9}{10}}$

$4\frac{4}{5}$; $\boxed{2\frac{2}{15}}$ $2\frac{2}{3}$

$\boxed{\frac{13}{18}}$; $1\frac{5}{6}$ ... $2\frac{5}{9}$

빈 곳에 알맞은 수를 써넣으세요. (가분수는 대분수로 나타내고, 약분할 수 있으면 기약분수로 나타냅니다.)

$\frac{5}{8}$ $+\frac{1}{4}$ → $\frac{7}{8}$ $\frac{2}{3}$ $-\frac{2}{5}$ → $\frac{4}{15}$

$2\frac{11}{12}$ $+\frac{5}{6}$ → $3\frac{3}{4}$ $2\frac{8}{21}$ $-1\frac{5}{7}$ → $\frac{2}{3}$

$1\frac{13}{20}$ $+1\frac{3}{5}$ → $3\frac{1}{4}$ $4\frac{17}{24}$ $-2\frac{1}{12}$ → $2\frac{5}{8}$

$\frac{3}{10}$ $+\boxed{\frac{1}{6}}$ → $\frac{7}{15}$ $1\frac{4}{9}$ $-\boxed{\frac{7}{9}}$ → $\frac{2}{3}$

$2\frac{1}{2}$ $+\boxed{3\frac{3}{8}}$ → $5\frac{7}{8}$ $5\frac{1}{6}$ $-\boxed{2\frac{13}{18}}$ → $2\frac{4}{9}$

49 이야기하기 (1)

물음에 답하세요. (가분수는 대분수로 나타내고, 약분할 수 있으면 기약분수로 나타냅니다.)

냉장고에 $1\frac{4}{5}$L짜리 주스가 2병 있습니다. 지수네 가족이 주스 $2\frac{4}{15}$L를 마셨습니다. 남은 주스가 몇 L인지 물음에 답하세요.

냉장고에 있는 주스는 모두 몇 L인가요? ($3\frac{3}{5}$L)
$1\frac{4}{5}+1\frac{4}{5}=2\frac{8}{5}=3\frac{3}{5}$(L)

지수네 가족이 마시고 남은 주스는 몇 L일까요? ($1\frac{1}{3}$L)
$3\frac{3}{5}-2\frac{4}{15}=3\frac{9}{15}-2\frac{4}{15}=1\frac{5}{15}=1\frac{1}{3}$(L)

소방서에서 우체국까지 가는 거리는 몇 km인지 물음에 답하세요.

경찰서 — 소방서 $1\frac{1}{2}$km — 은행 $\frac{5}{9}$km — 우체국, $\frac{2}{3}$km

경찰서에서 우체국까지 가는 거리는 몇 km인가요? ($2\frac{1}{18}$km)
$1\frac{1}{2}+\frac{5}{9}=1\frac{9}{18}+\frac{10}{18}=1\frac{19}{18}=2\frac{1}{18}$(km)

소방서에서 우체국까지 가는 거리는 몇 km인가요? ($1\frac{7}{18}$km)
$2\frac{1}{18}-\frac{2}{3}=2\frac{1}{18}-\frac{12}{18}=1\frac{19}{18}-\frac{12}{18}=1\frac{7}{18}$(km)

물음에 답하세요. (가분수는 대분수로 나타내고, 약분할 수 있으면 기약분수로 나타냅니다.)

집에서 바로 공원으로 가는 길은 집에서 약국을 지나 공원으로 가는 길보다 몇 km 더 가까운가요?

약국, $\frac{5}{6}$km, $2\frac{1}{4}$km, 집, 공원, $2\frac{7}{12}$km

($\frac{1}{2}$km)

집~약국~공원: $\frac{5}{6}+2\frac{1}{4}=\frac{10}{12}+\frac{27}{12}=\frac{37}{12}=3\frac{1}{12}$(km)

$3\frac{1}{12}-2\frac{7}{12}=2\frac{13}{12}-2\frac{7}{12}=\frac{6}{12}=\frac{1}{2}$(km)

양팔저울이 수평을 이루고 있습니다. 감의 무게는 몇 kg일까요?

$\frac{2}{5}$kg, $\frac{1}{10}$kg, $\frac{3}{14}$kg

($\frac{2}{7}$kg)

사과와 가지: $\frac{2}{5}+\frac{1}{10}=\frac{4}{10}+\frac{1}{10}=\frac{5}{10}=\frac{1}{2}$(kg)

$\frac{1}{2}-\frac{3}{14}=\frac{7}{14}-\frac{3}{14}=\frac{4}{14}=\frac{2}{7}$(kg)

64
·
65
쪽

50일 이야기하기 (2)

월 일

■ 지연이와 성훈이가 책을 읽었습니다. 물음에 답하세요. (가분수는 대분수로 나타내고, 약분할 수 있으면 기약분수로 나타냅니다.)

지연이는 오전에 $\frac{2}{9}$시간, 오후에 $\frac{1}{3}$시간 동안 책을 읽었고, 성훈이는 오전에 $\frac{1}{6}$시간, 오후에 $\frac{5}{18}$시간 동안 책을 읽었습니다. 누가 책을 얼마나 더 오래 읽었는지 물음에 답하세요.

지연이는 몇 시간 동안 책을 읽었나요?

$\frac{2}{9} + \frac{1}{3} = \frac{2}{9} + \frac{3}{9} = \frac{5}{9}$(시간)　　　　($\frac{5}{9}$시간)

성훈이는 몇 시간 동안 책을 읽었나요?

$\frac{1}{6} + \frac{5}{18} = \frac{3}{18} + \frac{5}{18} = \frac{8}{18} = \frac{4}{9}$(시간)　　　　($\frac{4}{9}$시간)

누가 책을 몇 시간 더 오래 읽었나요?

$\frac{5}{9} - \frac{4}{9} = \frac{1}{9}$(시간)　　　　(지연 , $\frac{1}{9}$시간)

■ 식물원 입구에서 전망대로 가는 길입니다. 물음에 답하세요. (가분수는 대분수로 나타내고, 약분할 수 있으면 기약분수로 나타냅니다.)

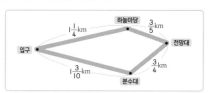

입구에서 하늘마당을 지나 전망대로 가는 거리는 몇 km인가요?

$1\frac{1}{4} + \frac{3}{5} = 1\frac{5}{20} + \frac{12}{20} = 1\frac{17}{20}$(km)　　　　($1\frac{17}{20}$km)

입구에서 분수대를 지나 전망대로 가는 거리는 몇 km인가요?

$1\frac{3}{10} + \frac{3}{4} = 1\frac{6}{20} + \frac{15}{20} = 2\frac{1}{20}$(km)　　　　($2\frac{1}{20}$km)

입구에서 어느 곳을 지나 전망대로 가는 것이 얼마나 더 가까운가요?

입구에서 하늘마당 을 지나 전망대로 가는 거리가 $\frac{1}{5}$ km 더 가깝습니다.

$2\frac{1}{20} - 1\frac{17}{20} = 1\frac{21}{20} - 1\frac{17}{20} = \frac{4}{20} = \frac{1}{5}$(km)

66
쪽

■ 물음에 답하세요. (가분수는 대분수로 나타내고, 약분할 수 있으면 기약분수로 나타냅니다.)

현우와 세희가 선물 상자를 포장합니다. 현우는 노란색 끈 $\frac{4}{5}$m와 파란색 끈 $\frac{2}{3}$m 를 사용했고, 세희는 노란색 끈 $\frac{5}{6}$m와 파란색 끈 $\frac{3}{5}$m를 사용했습니다. 누가 전체 끈을 몇 m 더 많이 사용했을까요?

현우와 세희가 사용한 끈의 길이를 각각 구합니다.　　(현우 , $\frac{1}{30}$m)

현우: $\frac{4}{5} + \frac{2}{3} = \frac{12}{15} + \frac{10}{15} = \frac{22}{15} = 1\frac{7}{15}$(m)

세희: $\frac{5}{6} + \frac{3}{5} = \frac{25}{30} + \frac{18}{30} = \frac{43}{30} = 1\frac{13}{30}$(m)

$1\frac{7}{15} - 1\frac{13}{30} = 1\frac{14}{30} - 1\frac{13}{30} = \frac{1}{30}$(m)

민서와 선우가 주말 농장에서 감자와 고구마를 캤습니다. 민서는 감자 $2\frac{5}{6}$kg, 고구마 $2\frac{1}{12}$kg을 캤고, 선우는 감자 $1\frac{1}{3}$kg, 고구마 $3\frac{3}{4}$kg를 캤습니다. 감자와 고구마를 합쳐 누가 몇 kg 더 많이 캤을까요?

(선우 , $\frac{1}{6}$kg)

민서: $2\frac{5}{6} + 2\frac{1}{12} = 2\frac{10}{12} + 2\frac{1}{12} = 4\frac{11}{12}$(kg)

선우: $1\frac{1}{3} + 3\frac{3}{4} = 1\frac{4}{12} + 3\frac{9}{12} = 4\frac{13}{12} = 5\frac{1}{12}$(kg)

$5\frac{1}{12} - 4\frac{11}{12} = 4\frac{13}{12} - 4\frac{11}{12} = \frac{2}{12} = \frac{1}{6}$(kg)

하루 한 장 75일
집중 완성

교과 연산

HERO